Méthode de français

Cahier d'activités

Fabienne Gallon • Céline Himber • Alice Reboul

FRANÇAIS LANGUE ÉTRANGÈRE
www.hachettefle.fr

Crédits iconographiques

Photo de couverture : Shutterstock.

Étape 1 **p. 9** bas © **Alamy** ; **p. 10** Mark Zuckerberg © **The Asahi Shimbun/Getty Images** ; **p. 11** c © **Alamy** ; Étape 2 **p. 15** d *Grease* de RandalKleiser avec Olivia Newton-John, Kelly Ward, Michael Tucci, John Travolta, 1978 © **Rue des Archives/Everett** ; **p. 18** fond Vue partielle de Paris en 1730 © **Granger NYC/Rue des Archives** ; haut gauche Vue perspective de Paris depuis le Pont Royal (gravure colorisée), école Française (XVIIIe siècle) - Musée de la Ville de Paris, Musée Carnavalet, Paris, France © **Bridgeman Images/RDA** ; haut droite Entrée des égouts de Saint-Germain à Paris au XVIIIe siècle © **API/GAMMA-RAPHO** ; bas : Grottes de Lascaux (17000 avJC) © **Rue des Archives/RDA** ; Statue de Jules César © **Shutterstock** ; Bourgeoise de Paris (avec robe, manteau et hennin) et sa servante qui tient sa traîne, XVe siècle, gravure extraite de l'ouvrage «Paris à travers les siècles, tome 1» (1878) © **Rue des Archives/PVDE** ; Château de Chenonceau © **Shutterstock** ; Pont Samuel Beckett (architecte Santiago Calatrava) à Dublin © **Shutterstock** ; Étape 3 **p. 24** b Réunion - Piton de la Fournaise © **Tony Steinhardt/Author's Image/Photononstop** ; c Nouvelle-Calédonie, Ouvéa, Pléiades du Nord, vue aérienne de l'ilot Motu Niu © **Julien Thomazo/Photononstop** ; **p. 25** gauche haut et droite © **Getty** ; **p. 26** 1 © **Florian Chavouet**, *Tokyo Sanpo* ; 2 © **Florian Chavouet**, *L'île Louvre* ; Étape 4 **p. 34** 1 2 3 Exposition L'Art et Le Chat, Philippe Gelück © **Casterman** ; P. SOULAGES, Tryptique 2009 © **ADAGP, Paris 2017** ; Y. KLEIN, Monochrome bleu (IKB 3), 1960 © **Yves Klein c/o ADAGP, Paris 2017** ; V. VASARELY, Vega Szem, 1978 © **ADAGP, Paris 2017** ; J. POLLOCK, Number 14: gray, 1948 © **ADAGP, Paris 2017** ; Étape 8 **p. 66** © RATP/Thomas Bass/costume3pieces.com. Ateliers d'écriture **p. 73** © www.ulmag.fr.

Autres photos : Shutterstock.

Nous avons fait notre possible pour obtenir les autorisations de reproduction des documents publiés dans cet ouvrage. Dans le cas où des omissions ou des erreurs se seraient glissées dans nos références, nous y remédierons dans les éditions à venir.

Couverture : Nicolas Piroux
Conception graphique : Anne-Danielle Naname – Barbara Caudrelier
Mise en pages : Barbara Caudrelier
Secrétariat d'édition : Astrid Rogge
Illustrations : Gabriel Rebufello
Enregistrements : Studio Quali'sons
Maîtrise d'œuvre : Joëlle Bonenfant

Achevé d'imprimer en Italie par L.E.G.O. S.p.A.
Dépôt légal : janvier 2019 - Collection n° 60 - Édition 04
59/2788/0

ISBN 978-2-01-401543-0
© HACHETTE LIVRE, 2017
58, rue Jean Bleuzen, CS 70007, 92178 Vanves Cedex, France.

http://www.hachettefle.fr

Le code de la propriété intellectuelle n'autorisant, au terme des articles L. 122-4 et L. 122-5, d'une part, que « les copies ou reproductions strictement réservées à l'usage du copiste et non destinées à une utilisation collective » et, d'autre part, que « les analyses et les courtes citations » dans un but d'exemple et d'illustration, « toute représentation ou reproduction intégrale ou partielle, faite sans le consentement de l'auteur ou de ses ayants droit ou ayants cause, est illicite ». Cette représentation ou reproduction, par quelque procédé que ce soit, sans autorisation de l'éditeur ou du Centre français de l'exploitation du droit de copie (20, rue des Grands-Augustins, 75006 Paris), constituerait donc une contrefaçon sanctionnée par les articles 425 et suivants du Code pénal.

Révisons nos conjugaisons

1 **Reconstitue le maximum de formes verbales puis classe-les dans le tableau.**

METT- | AI | EST | PAR- | IR- | VEU- | AUR- | PREN- | SUIS | DOIV- | POURR-

-ONT | FAIT | -S | -ONS | ALLÉE | -EZ | -X | PU | -T | NÉ | -ENT

Passé composé	j'ai fait je	j'........................ il	je .... elle	
Présent	vous mettez on .... elles	tu .... nous .... elles	tu .... nous	on .... vous ....
Futur simple	nous .... vous .... ils	nous .... vous .... ils	nous .... vous .... ils	

Exprimons un vœu

2 **Relie puis écris les vœux sous les photos correspondantes.**

Bon | Bonne | Joyeux

fête | anniversaire | Noël | voyage | chance | appétit

a .... !

b .... !

c .... !

d .... !

e .... !

f .... !

Découvrons le genre de certains noms

3 **Entoure en rouge les noms féminins et en bleu les noms masculins. Puis écoute pour vérifier.**

voyage situation récréation information âge vêtement monument pollution personnage instrument changement

Utilisons des interjections

4 **Retrouve cinq interjections à partir des lettres suivantes (aide-toi des couleurs). Puis place-les dans les bulles.**

T B H F O E U Ï U U C Z T F O A

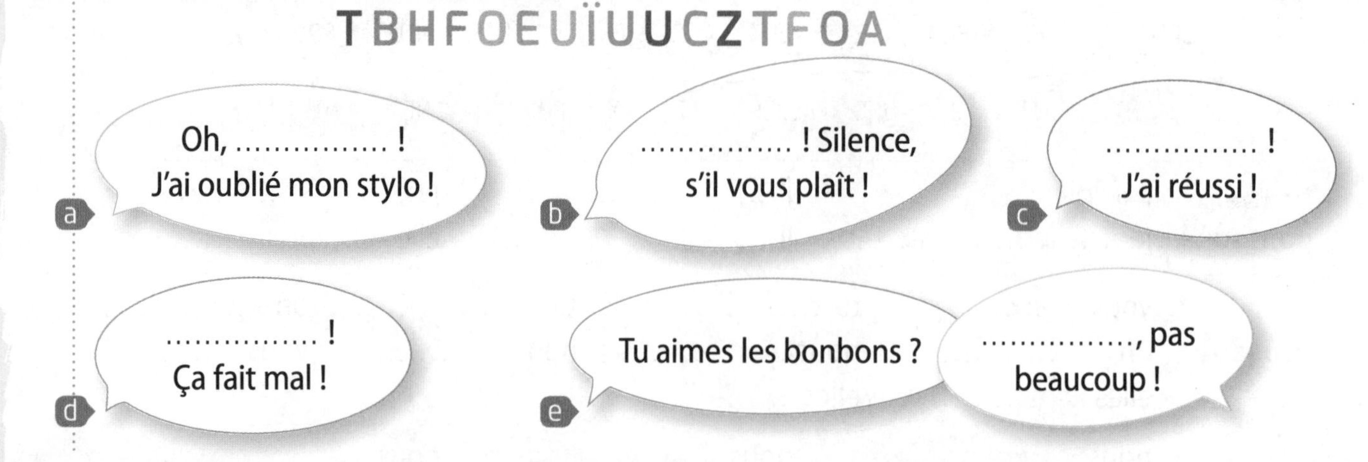

Posons-nous des questions personnelles / Parlons de nous

5 **Lis et complète le quiz avec des mots de la liste. Attention, il y a des intrus ! Puis coche tes réponses.**

où | quand | comment | quel | quelles | qu'est-ce que | quoi | pourquoi | quels | est-ce que | qui | que

QUIZ

.... es-tu ?

1 .... sont tes couleurs préférées ?
- ❑ Le rouge. ❑ Le rose. ❑ Le bleu. ❑ Le vert. ❑ Le jaune.
- ❑ Le noir. ❑ Le blanc. ❑ L'orange. ❑ Autre : ....

2 .... imagines-tu ton avenir ?
- ❑ Dans un bureau. ❑ Toujours en voyage.
- ❑ Sur une scène ou dans un atelier d'artiste. ❑ Autre : ....

3 Au collège, tu préfères .... ?
- ❑ L'éducation physique et sportive et la récréation. ❑ Les matières artistiques.
- ❑ L'histoire et la géographie. ❑ Les sciences. ❑ Les langues.
- ❑ Autre : ....

4 .... préfères-tu partir en vacances ?
- ❑ À la montagne. ❑ À la mer. ❑ À la campagne.
- ❑ Dans un autre pays. ❑ Autre : ....

5 .... est ton caractère ?
- ❑ Patient(e). ❑ Créatif / Créative. ❑ Indépendant(e). ❑ Sportif / Sportive.
- ❑ Curieux / Curieuse. ❑ Aventurier / Aventurière. ❑ Joyeux / Joyeuse.
- ❑ Autre : ....

6 .... tu n'aimes pas ?
- ❑ Les bonbons. ❑ Les légumes. ❑ Les fruits. ❑ La viande.
- ❑ Le poisson. ❑ Les gâteaux. ❑ Autre : ....

Échangeons sur nos loisirs

VOCABULAIRE

1 Les activités de loisirs. **Reconstitue les six noms d'activités puis associe-les à chaque ado.**

ETISNN ED ABTLE | CTLEURE | RTSA MUXARTIA | UXJE ED TÉIÉCSO | ICGEOLABR | TEPORIE

a Emma aime fabriquer des objets en terre.
> la ....

b Louis adore découper, coller, fabriquer des choses. > le ....

c Maëlle aime jouer avec des cartes, des dés…
> les ....

d Thomas fait du judo et du karaté.
> les ....

e Hector aime les sports de raquette !
> le ....

f Leïla va souvent à la bibliothèque.
> la ....

COMMUNICATION

2 Exprimer des goûts. **Complète avec les mots proposés.**

ça | bien | préfère | trop | m' | ça | plaît | horreur | adore | intéresse

a Les activités manuelles, ça ne me .... pas, je ne suis pas fan !

b Les sorties culturelles, ... m'.......................... beaucoup !

c Moi, j'aime .... les jeux, mais je n'aime pas .... jouer en réseau.

d Le karting, j'ai .... de ça ! Ça ne .... attire pas !

e Le *laser game*, j'....................... .... mais je .... le bowling !

ÉCOUTER

3 2 **Écoute l'enquête. De quelles activités parlent ces ados ? Complète les listes. Puis réécoute et classe les activités dans le tableau.**

Deux activités manuelles : la peinture, ...

Une activité sportive : ....

Trois activités culturelles : ....

Trois types de jeux : ....

Fille	☺	....
	☹	....
Garçon	☺	....
	☹	....

LEÇON

2 Parlons de nos relations amicales

Les pronoms COD et COI

1 Complète les phrases avec les pronoms *me (m')*, *te (t')*, *nous* ou *vous*.

a Marion, tu ...... écoutes ? Je ...... parle !

b Tu es sa meilleure amie et il ne ...... invite pas à son anniversaire ?

c Martin ...... a expliqué le problème, à Lilla et à toi ?

d Nous sommes tes amis, tu ...... appelles si tu as besoin, O.K. ?

e Alors, comment ça s'est passé à la patinoire ? Je veux savoir ! Tu ...... racontes ?

2 Transform les phrases avec les pronoms *le*, *la*, *les* ou *lui*, *leur*, comme dans l'exemple.

▸ Je ne vois pas mes copains ce week-end. > Je ne les vois pas ce week-end.

a Moi, j'écris beaucoup de SMS à ma meilleure amie !

....

b Pourquoi tu ne parles plus à Noé ? Vous n'êtes plus amis ?

....

c J'aime beaucoup tes nouveaux copains !

....

d Tu ne racontes pas mon secret aux garçons, O.K. ?

....

e Pourquoi tu ne rappelles pas Arthur ?

....

f Tu connais bien Myriam ?

....

Les pronoms relatifs *qui* et *que*

3 Relie les éléments pour former des phrases correctes. Barre les intrus.

a C'est une amie qui…

b Thomas a des copains qui…

c Tu aimes les activités qui…

d C'est un sport qui…

e Laura s'entend bien avec un garçon qui…

1 j'ai détesté.
2 sont créatives ?
3 nous aimons bien faire.
4 je vois souvent.
5 s'appelle Martin.
6 est importante pour moi !
7 tous les ados adorent.
8 on adore pratiquer avec les copains !
9 font de la capoeira ?
10 est bon pour le dos.

4 **Complète avec *qui* ou *que (qu')*. Puis devine de qui ou de quoi on parle.**

a C'est une personne ……. j'aime beaucoup et ……. partage de bons moments avec moi.
> un □□□A□□ / une □□□I□□

b C'est un art martial ……. est d'origine brésilienne et ……. ressemble à une danse.
> la □□□O□□□□

c C'est un événement ……. on peut voir dans un musée.
> une □X□□□□□□□□

d C'est un journal en ligne ……. j'écris pour parler des choses ……. m'intéressent.
> un □L□□

e C'est une petite histoire ……. on raconte pour faire rire ses amis.
> une □□A□□□

Les relations

5 3 **Observe les photos et écoute. Écris le nom des ados sous les photos.**

Lucille et Lola | Léo et Pauline | Sam et Adrien | Alban et Émilien | Mathilde et Sarah

a ………………………… …………………………

b ………………………… …………………………

c ………………………… …………………………

d ………………………… …………………………

e ………………………… …………………………

LEÇON 3

Parlons de nos lieux de loisirs préférés

Exprimer la cause et la conséquence

1 **Remets les phrases dans l'ordre.**

a cher. – cette – va – dans – On – coûte – parce – patinoire – ça – ne – pas – que

....

b mangas ! – potes – Mes – dans – café – ce – ils – adorent – les – vont – car

....

c avec – Il – sort – nous – sa – dispute – pas – Margot. – à – de – avec – ne – cause

....

d alors – Félix – ne – il – pas – jouer – apprendre. – au – doit – sait – bowling,

....

e Édouard – qu' – bibliothèque. – adore – c'est – pour – souvent – va – la – ça – à – il – lire,

....

f le – Charlotte – jamais. – elle – joue – basket, – déteste – donc – ne

....

2 **Relie chaque cause (en jaune) à sa conséquence (en orange). Puis réécris des phrases complètes avec une expression de cause ou de conséquence de ton choix.**

Cause	Conséquence
le musée est fermé le mardi	elle connaît beaucoup de films
elle va souvent au cinéma	il ne peut pas faire de sport
ses problèmes de dos	on ne peut pas voir l'exposition aujourd'hui
il adore les énigmes	il est très bon dans les jeux d'évasion
Thomas n'aime pas ce lieu	on n'est pas allés au Bowling Café

a On ne peut pas voir l'exposition aujourd'hui parce que ....

b ....

c ....

d ....

e ....

PHONÉTIQUE La prononciation des consonnes finales

3 (piste 4) **Lis les mots à voix haute et entoure les consonnes finales qui se prononcent. Puis écoute pour vérifier.**

voir pour public super par meilleur neuf manuel activités
trop culturel aller horreur art martial grec découvrir sortir
cuisinier sport jeux concert discuter ordinateur

Le passé composé

4 **Trouve dans la grille dix participes passés. Puis place-les dans les phrases.**

G	R	A	N	V	E	R	T	G	E
D	É	C	O	U	V	E	R	T	N
E	U	A	P	A	S	S	É	E	T
B	P	M	I	V	D	T	P	T	R
O	O	V	T	E	E	É	O	I	É
F	I	N	I	N	D	S	N	O	E
O	S	A	J	U	L	I	D	L	S
U	T	E	N	E	O	L	U	T	P

a Vous avez .... le concert de Black M ?
b Anna a .... un problème donc elle n'est pas .... avec nous.
c C'est une expo géniale ! On est .... tout l'après-midi !
d Quand elles sont .... dans le café, elles ont .... un lieu incroyable !
e Tu as .... ce manga ? Et tu l'as .... ?
f Ma sœur a .... à une enquête sur les loisirs et elle est .... à la radio !

5 **Conjugue les verbes au passé composé.**

CULTURES

Lis l'article et retrouve le nom :

a d'un jeu d'e-sport célèbre : ....

b du champion de France d'e-sport pour ce jeu : ....

c du champion du monde 2016 d'e-sport pour ce jeu : ....

d d'un club de foot français qui est nouveau dans l'e-sport : ....

Le champion du monde d'e-football est français !

Le joueur du « PSG e-sport », Lucas Cuillerier, alias « DaXe », a surpris le public de la *Paris Games Week* 2016 : il a gagné la coupe du monde d'e-sport (ESWC) sur le jeu de simulation de foot « FIFA 17 ». À seulement 16 ans, ce jeune joueur qui représente le célèbre club français Paris Saint-Germain a réussi à battre l'autre Français favori : Corentin Chevrey, alias « RocKy », champion de France. Dix jours seulement après son entrée dans l'e-sport, le club de foot parisien a déjà son champion !

INFORMATIQUE

Lis le texte, puis complète les phrases avec les mots en gras.

Pour faire un jeu vidéo, il faut créer un programme informatique, c'est-à-dire un code écrit par un **informaticien** dans un **langage de programmation**. Ce code s'appelle un **algorithme**. C'est un ensemble d'instructions qui indiquent à l'ordinateur ce qu'il doit faire, par exemple pour faire avancer un personnage.
Les ordinateurs, les tablettes ou les téléphones portables ont des programmes déjà installés qui s'appellent des **logiciels** ou des **applications**.

a. Word, Excel ou PowerPoint sont des ....

b. Mark Zuckerberg est le célèbre .... qui a créé Facebook.

c. Les instructions données à un ordinateur s'appellent un ....

d. Pour exécuter des tâches sur un téléphone portable ou une tablette, on utilise des ....

e. Le C++, le Java, le Ruby ou le Python sont des ....

Autoévaluation

Échanger sur ses loisirs

1 ... /4

Associe les bulles et les photos.

1 Moi, le sport, les livres, les jeux vidéo, ça ne me plaît pas trop. Mais j'adore la musique ! Je voudrais faire des concerts !

2 J'adore passer du temps sur les réseaux sociaux et lire des articles sur Internet, mais lire des livres, je n'aime pas trop ça.

3 Moi, je m'intéresse beaucoup aux mangas, je les collectionne ! Et je tiens un blog sur ça !

4 Moi, les concerts, le cinéma, ça ne m'attire pas. Ma sortie préférée, c'est la patinoire !

a Bulle n° ....   b Bulle n° ....   c Bulle n° ....   d Bulle n° ....

Parler de ses relations amicales

2 5 ... /6

Écoute les questions et réponds avec un pronom COD ou COI.

▸ Tu apprends à Edgar à jouer aux jeux vidéo ? > Oui, je lui apprends à jouer aux jeux vidéo.

a Non, je ne ....
b Oui, bien sûr, je ....
c Oui, je .... parce qu' ....
d Oui, je .... de mes problèmes.
e O.K., on .... de venir.

3 ... /3

Complète le mail avec les mots suivants : *disputer* – *qui* – *que* (x 2) – *énervé* – *discuter*.

Coucou,
Je suis triste parce qu'il y a quelque chose .... a changé entre nous. Est-ce que j'ai dit ou fait quelque chose .... tu n'as pas aimé ? Quelque chose qui t'a .... ? Ou c'est parce que je gagne toujours au *laser game* ? Ou c'est à cause de mon pote Pablo .... je vois souvent ? Je ne veux pas me .... avec toi. Tu es mon meilleur ami et j'aime beaucoup .... avec toi ! Tu sais qu'on peut parler de tout ensemble, alors appelle-moi !
Camille

Parler de ses lieux de loisirs préférés

4 ... /4

Entoure la bonne réponse.

a Thomas n'est pas venu au bowling parce qu' / alors / c'est pour ça qu' il a oublié le rendez-vous !

b On a beaucoup aimé ce lieu, parce que / à cause de / donc on a envie de revenir !

c La patinoire est fermée aujourd'hui, parce qu' / c'est pour ça qu' / car Elsa et Sophie vont au cinéma.

d Vous vous êtes disputés c'est pour ça que / à cause de / donc moi ?

5 ... /3

Complète avec *être* ou *avoir*. Accorde les participes passés si nécessaire.

a Les filles ne .... jamais allé...... dans ce café. Et toi ?

b Elles .... été...... sympas d'inviter tout le monde au *laser game* !

c Hélène n'................. rien compris...... au film. Et toi ?

d Ils se .... rencontré...... pour la première fois au Manga Café.

e On .... sorti...... du ciné à 17 heures.

f Vous .... eu...... le temps de faire tous les jeux ?

Vérifie tes résultats p. 78. ... /20

APPRENDRE À APPRENDRE

a. Connais-tu tes qualités ? Coche et complète ce qui te correspond. Ajoute d'autres qualités !

- ☐ Je m'entends bien avec les autres.
- ☐ J'ai une bonne mémoire.
- ☐ Je suis créatif / créative : bon(ne) en ....
- ☐ Je suis sportif / sportive : bon(ne) en ....
- ☐ Je suis souvent joyeux / joyeuse et j'aime bien rigoler.
- ☐ Je sais dire quand je suis d'accord ou quand je ne suis pas d'accord.
- ☐ Je sais écouter les autres.
- ☐ Je suis à l'aise à l'oral.
- ☐ Je n'abandonne pas quand c'est difficile.
- ☐ Je m'intéresse à ....
- ☐ Je suis observateur / observatrice.
- ☐ Je suis bien organisé(e).
- ☐ ....
- ☐ ....

b. Demande à tes amis ou ta famille d'ajouter à ta liste deux aspects positifs de ta personnalité.

c. Relis régulièrement la liste de tes qualités !

Pour réussir au collège, développe une bonne estime de toi-même !

Décrivons des objets du passé

VOCABULAIRE

1 Les expressions de temps. **Relie pour retrouver six expressions de temps.**

dans | à l'époque | en | jusqu'à | jusqu'en

de mes parents | l'arrivée de l'électronique | les années quatre-vingt-dix | mon enfance | 1990

COMMUNICATION

2 Décrire un objet. **Complète les bulles avec les mots proposés. Relie ensuite les questions et les réponses, puis trouve les objets correspondants (objets A à D).**

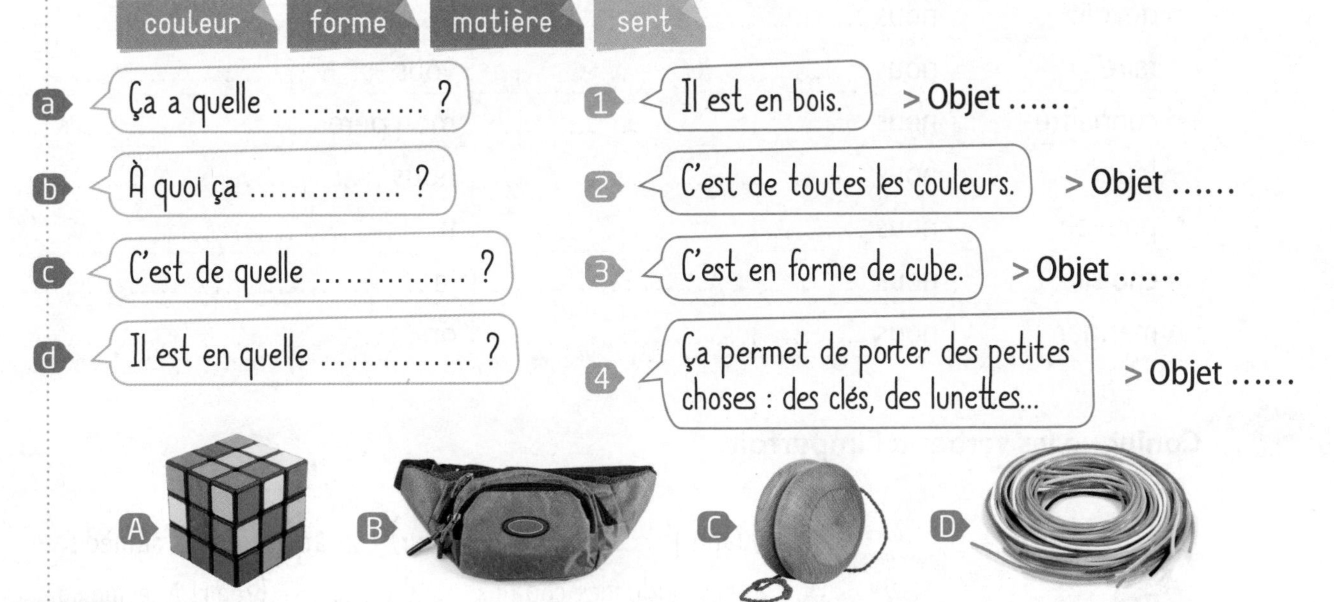

LIRE

3 **Lis et complète le forum avec les mots suivants.**

années | bois | boutons | briques | boutons | cercle | époque | piles | plastique

Quel jeu de ton enfance as-tu gardé ?

<Posté par Aline - 27/11 à 12:50>Mon hula hoop ! C'est un .... de couleur orange, en .... C'est un jeu très ancien, qui date des .... cinquante.

<Posté par Fred - 28/11 à 18:22>Moi, c'est le « Simon » ! Il est très vieux mais il marche encore ! (Avec des .... neuves, bien sûr !) C'est un jeu de mémoire et de rapidité : quatre .... de couleurs s'allument et on entend des notes de musique ; on doit alors appuyer très vite sur les bons ...., dans l'ordre des notes de musique.

<Posté par Sophie - 04/12 à 21:15>La « Tour infernale » : un jeu de construction très vieux qui date de l'...................... de mes parents, avec des .... en ....

LEÇON 2

Racontons des souvenirs

L'imparfait

1 Tu entends le présent ou l'imparfait ? Écoute et coche.

	a	b	c	d	e	f	g
Présent							
Imparfait							

2 Complète le tableau.

	Présent	Imparfait
a écouter	nous	nous ....
b devoir	nous	les gens ....
c faire	nous	vous ....
d connaître	nous	mon père ....
e louer	nous	nous ....
f pouvoir	nous	tu ....
g choisir	nous	je ....
h manger	nous	on ....

3 Conjugue les verbes à l'imparfait.

Quand j'................. (avoir) ton âge, tous les samedis après-midi, mes copains .... (venir) à la maison parce qu'on .... (avoir) un magnétoscope. D'abord, on .... (aller) au vidéoclub et on .... (choisir) deux ou trois films. Puis on .... (rentrer) à la maison et on .... (faire) du popcorn. Ensuite, on .... (regarder) un film, puis un autre... On .... (passer) tout l'après-midi devant la télé. Mes parents n'................. (être) pas contents et ils nous .... (dire) de sortir jouer au ballon, mais nous, on .... (préférer) regarder des films !

Les adjectifs et les pronoms indéfinis

Complète avec les mots proposés.

chacun | chaque | plusieurs | quelques | quelques-unes | tous | tout | toutes

a Quand on avait huit ans, on jouait .... à la console DS ! .... avait son jeu préféré : moi, c'était les Pokémon !

b Quand mes parents étaient jeunes, c'était exceptionnel d'avoir un ordinateur personnel : .... familles seulement avaient un ordinateur à la maison !

c Mon père a conservé .... jeux de son enfance et on joue avec à .... réunion de famille !

d Quand ma mère était ado, ... le monde connaissait le film *Grease*. C'était le film préféré de .... ses amies et .... s'habillaient comme Olivia Newton-John !

PHONÉTIQUE La prononciation de *tous*

Lis les phrases suivantes et souligne *tous* quand tu prononces le *s*. Puis écoute pour vérifier.

a Quand j'étais petit, j'adorais **tous** les films *Pirates des Caraïbes*.
b Beaucoup d'ados avaient un Rubik's Cube, mais pas **tous**.
c **Tous** mes copains faisaient des scoubidous, mais pas moi !
d Avant, on avait **tous** un baladeur et on écoutait **tous** les groupes à la mode.
e On jouait **tous** à la Game Boy, **tous** les jours après l'école.

LEÇON

3 Comparons avant et maintenant

La négation

1 **Remets les mots dans l'ordre pour former des phrases.**

a à | Ça | ne | rien ! | sert

....

b avait | de | avant. | jeux | n' | Personne | vidéo,

....

c ces | n' | objets. | On | plus | utilise

....

d as | Game Boy ? | de | eu | jamais | n' | Tu

....

e ados | de | écrivent | Les | lettres. | n' | plus

....

2 **Réponds aux questions à la forme négative. Utilise *jamais, personne, plus* ou *rien*. (Attention aux changements d'articles !)**

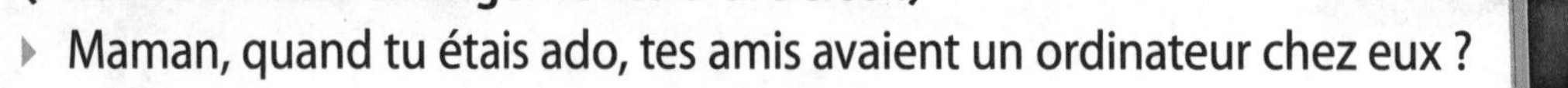

▸ Maman, quand tu étais ado, tes amis avaient un ordinateur chez eux ?

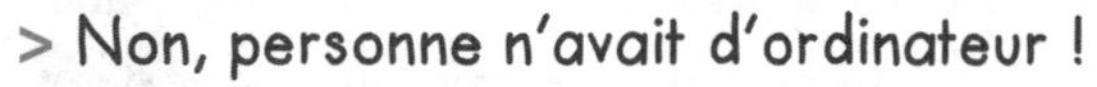

> Non, personne n'avait d'ordinateur !

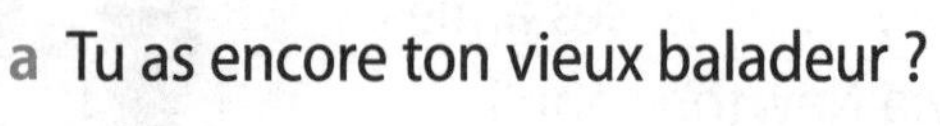

a Tu as encore ton vieux baladeur ?

> Non, ...

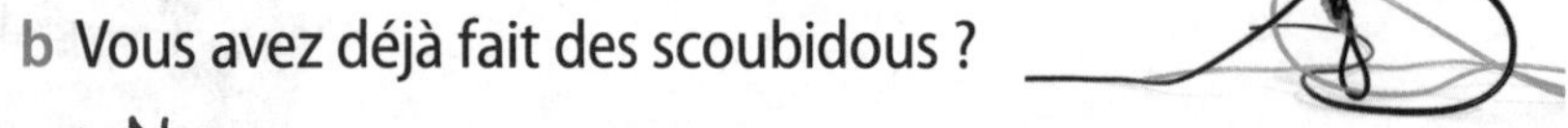

b Vous avez déjà fait des scoubidous ?

> Non, ...

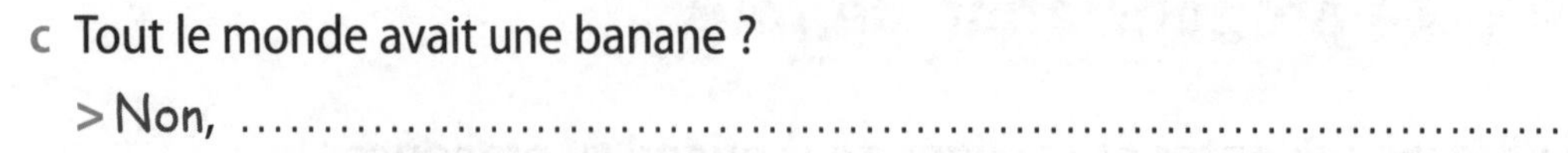

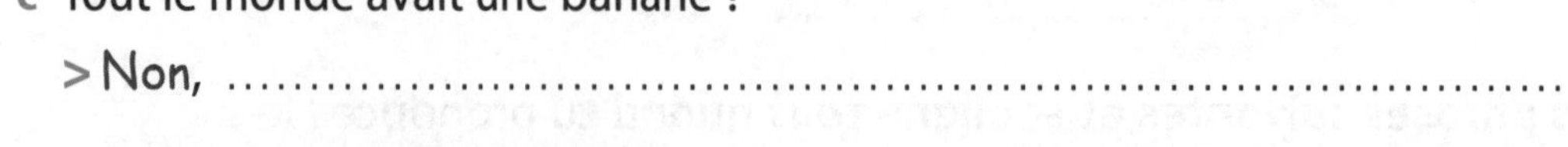

c Tout le monde avait une banane ?

> Non, ...

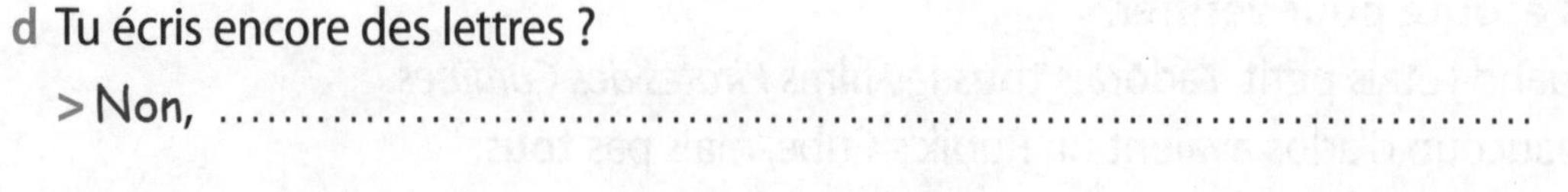

d Tu écris encore des lettres ?

> Non, ...

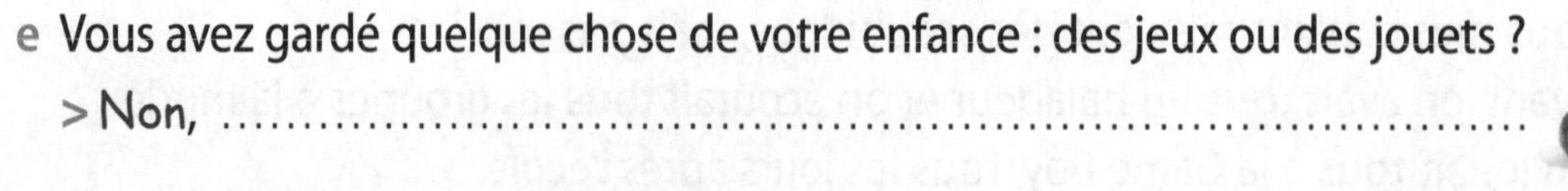

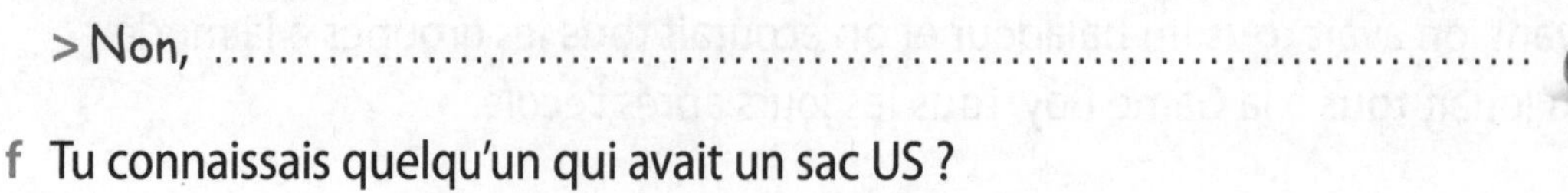

e Vous avez gardé quelque chose de votre enfance : des jeux ou des jouets ?

> Non, ...

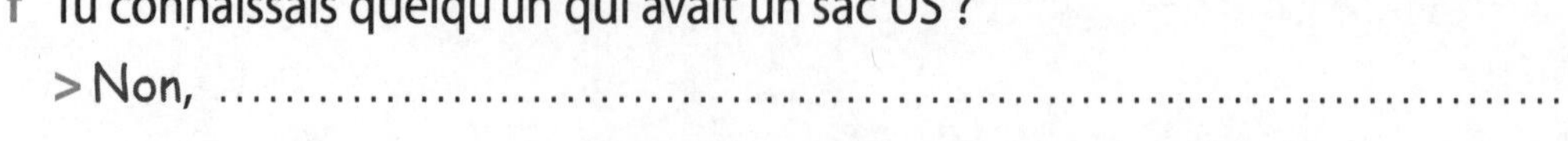

f Tu connaissais quelqu'un qui avait un sac US ?

> Non, ...

Depuis et *il y a*

3 **Coche la bonne réponse.**

a Il y a trente ans,
- ☐ cela n'existe pas.
- ☐ cela n'existait pas.

b Depuis les années 2000,
- ☐ tout le monde l'utilise.
- ☐ tout le monde l'utilisait.

c Il y a plusieurs années,
- ☐ on l'utilisait seulement pour téléphoner.
- ☐ on l'utilise seulement pour téléphoner.

d Depuis plus de vingt ans,
- ☐ tout le monde a un téléphone portable.
- ☐ tout le monde avait un téléphone portable.

4 **Complète avec *depuis* ou *il y a*.**

a ………… cinquante ans, personne n'avait de téléphone portable.
b ………… quand tu as un ordinateur ?
c Ce jeu existe ………… les années quatre-vingts.
d C'était à la mode ………… quatre ou cinq décennies.
e ………… l'invention du GPS, on n'utilise presque plus de cartes pour s'orienter.
f Les Pokémon sont à la mode ………… plusieurs décennies.

Exprimer le but

5 8 **Lis les questions suivantes. Puis écoute et associe chaque réponse à une question.**

a Pourquoi est-ce que tu as consulté Wikipédia ?
> Réponse n° ……

b Pourquoi avez-vous besoin de deux manettes ?
> Réponse n° ……

c Pourquoi tu utilises le réveil de ton portable ?
> Réponse n° ……

d Pourquoi tu cherches des jouets anciens ?
> Réponse n° ……

e Pourquoi est-ce que tu veux des piles ?
> Réponse n° ……

CULTURES

Lis l'article puis coche la ou les bonnes réponses.

LE PARIS D'IL Y A TROIS CENTS ANS, EN IMAGES… ET EN SONS !

Vous rêvez de remonter le temps et de découvrir comment vivaient les Parisiens il y a trois siècles ? Une équipe d'informaticiens et d'archéologues spécialistes des sons a réalisé une vidéo de huit minutes pour recréer l'atmosphère de deux quartiers parisiens dans les années 1730. Pour cela, ils ont consulté des plans, des journaux, des livres et des tableaux de ces années-là.

Plusieurs musées parisiens sont intéressés par ce travail car il présente une nouvelle façon de découvrir l'histoire : avec cette nouvelle invention, tout le monde peut faire une promenade en images dans Paris et entendre, en même temps, les bruits des rues de l'époque.

a Avec cette invention, on peut
- ☐ visiter des musées parisiens.
- ☐ écouter des sons du passé.

b La vidéo présente l'atmosphère
- ☐ du dix-septième siècle.
- ☐ de 1730.
- ☐ de 1730 à 1740.

c Pour faire la vidéo, ils ont consulté
- ☐ des peintures.
- ☐ la presse.
- ☐ des plans.
- ☐ des enregistrements de l'époque.

HISTOIRE

Place les époques sur la frise chronologique.

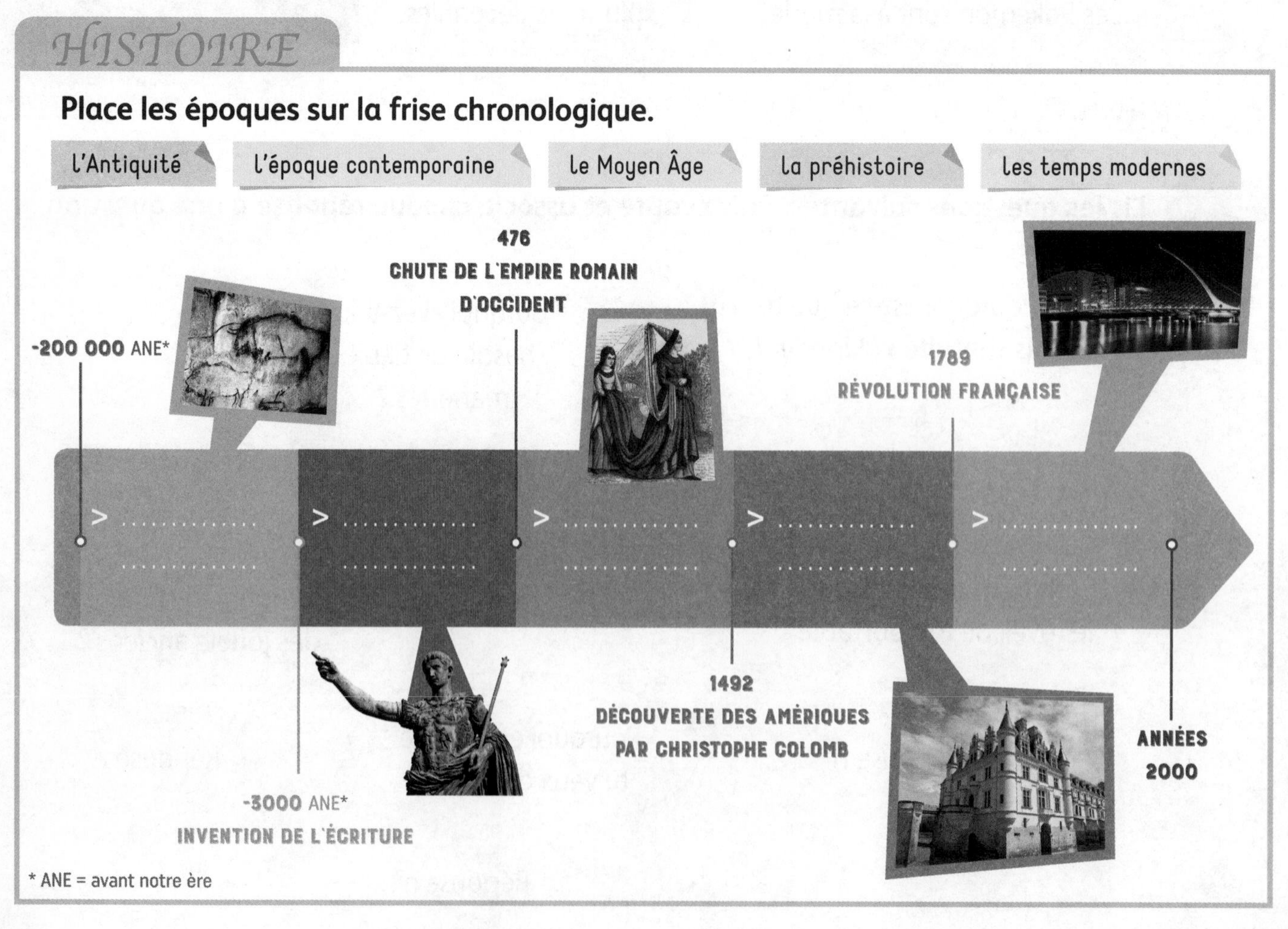

* ANE = avant notre ère

Autoévaluation

Décrire des objets du passé

1 9 … /4

Écoute les réponses et écris la question posée pour chaque objet.

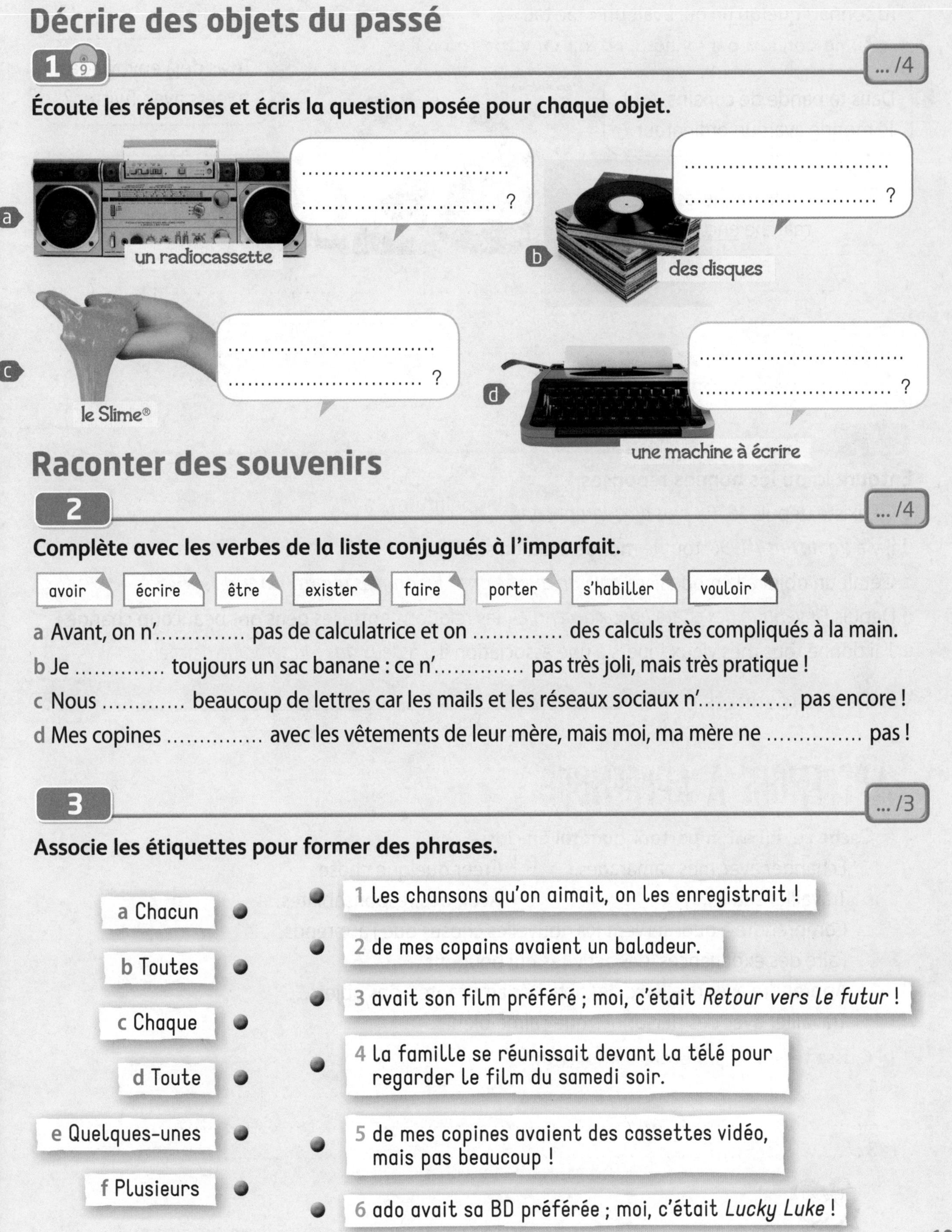

a un radiocassette
…………………………… …………………………… ?

b des disques
…………………………… …………………………… ?

c le Slime®
…………………………… …………………………… ?

d une machine à écrire
…………………………… …………………………… ?

Raconter des souvenirs

2 … /4

Complète avec les verbes de la liste conjugués à l'imparfait.

avoir | écrire | être | exister | faire | porter | s'habiller | vouloir

a Avant, on n'………… pas de calculatrice et on ………… des calculs très compliqués à la main.
b Je ………… toujours un sac banane : ce n'………… pas très joli, mais très pratique !
c Nous ………… beaucoup de lettres car les mails et les réseaux sociaux n'………… pas encore !
d Mes copines ………… avec les vêtements de leur mère, mais moi, ma mère ne ………… pas !

3 … /3

Associe les étiquettes pour former des phrases.

a Chacun
b Toutes
c Chaque
d Toute
e Quelques-unes
f Plusieurs

1 les chansons qu'on aimait, on les enregistrait !
2 de mes copains avaient un baladeur.
3 avait son film préféré ; moi, c'était *Retour vers le futur* !
4 la famille se réunissait devant la télé pour regarder le film du samedi soir.
5 de mes copines avaient des cassettes vidéo, mais pas beaucoup !
6 ado avait sa BD préférée ; moi, c'était *Lucky Luke* !

Comparer avant et maintenant

4 ... /4

Trouve le contraire des mots soulignés et réécris les questions, comme dans l'exemple.

▸ Tu connais quelqu'un qui avait un « tac-tac » ?
> Tu ne connais personne qui avait un « tac-tac » ?

a Dans ta bande de copains, tout le monde avait un ordinateur ?

b Ce vieux magnétoscope marche encore ?

c Tu as déjà envoyé des tweets avec Twitter ?

d Tu as tout oublié de ton enfance ?

a .... ?
b .... ?
c .... ?
d .... ?

5 ... /5

Entoure la ou les bonnes réponses.

a Ça existe depuis *1980* / *plus de quarante ans*.
b Il y a *trente ans* / *1990*, tout le monde avait un sac US.
c C'était un objet à la mode il y a *environ quinze ans* / *les années quatre-vingt-dix*.
d Depuis *l'invention des chats* / *deux décennies*, les relations entre les gens ont beaucoup changé !
e J'ai donné tous mes vieux jouets à une association il y a *deux ans* / *la semaine dernière*.

Vérifie tes résultats p. 78. ... /20

APPRENDRE À APPRENDRE

a. Coche ce qui est important pour toi en classe.

- ☐ Échanger avec mes camarades.
- ☐ Créer quelque chose.
- ☐ Travailler seul(e).
- ☐ Avoir des responsabilités.
- ☐ Comprendre à quoi servent les nouvelles choses que j'apprends.
- ☐ Faire des expériences, des activités qui bougent.
- ☐ Apprendre avec des jeux, des activités amusantes, des objets…
- ☐ Travailler avec des personnes que j'aime bien.

b. Classe tes choix par ordre d'importance.

1 : ....
2 : ....
3 : ....

Pour avoir envie d'apprendre, trouve tes motivations en classe !

Situons et décrivons des lieux

VOCABULAIRE

1 Les lieux et les paysages. **Retrouve sept noms de lieux ou de paysages dans la grille. Puis complète les définitions.**

C	O	N	T	I	N	E	N	T	S	H
Ô	R	O	L	M	H	O	R	A	B	É
T	I	V	B	C	H	T	A	R	H	M
E	Z	I	Y	A	O	I	U	C	K	I
A	O	L	A	G	R	N	I	H	I	S
P	N	L	L	S	I	E	Z	I	O	P
O	S	A	M	O	Z	N	A	P	E	H
R	I	G	I	M	O	T	W	E	E	È
T	E	E	E	P	N	R	T	L	A	R
P	D	G	R	E	Y	J	S	Q	W	E

a Un ensemble d'îles, c'est un ....

b Les bateaux arrivent dans ce lieu : un ....

c L'Europe et l'Afrique sont des ....

d Quand on vit à la campagne, c'est souvent dans un ....

e Elle se trouve au bord de la mer ou de l'océan : la ....

f La partie sud ou nord de la Terre s'appelle un ....

g C'est une ligne entre le ciel et la terre, on la voit au loin : l'.................... .

COMMUNICATION

2 Situer un lieu. **Regarde la carte de la Corse page 80 et complète les phrases avec les mots proposés.**

près de | au bord de | est | loin de | 80 km | dans | sur | est située | Ça se trouve

a La plage de Rondinara .... dans le sud de la Corse, ... Porto-Vecchio.

b Le désert des Agriates n'.................... pas très loin de Saint-Florent et de L'Île-Rousse ; c'est un désert situé .... la mer.

c La ville de Corte est .... la région du Centre Corse, à .... d'Ajaccio.

d Bonifacio ? .... dans le sud de la Corse. C'est .... Saint-Florent !

e Le lac de Nino, c'est à la montagne : ce n'est pas .... la côte !

ÉCOUTER

3 (10) **Écoute la conversation entre Nina et Louise. Puis relie les étiquettes.**

1 la plage | 2 des paysages très variés | 3 une île dans l'hémisphère sud | 4 les montagnes | 5 l'Australie | 6 sur la côte | 7 la neige | 8 des villes

a lieu de vie actuel de Nina et Louise | b lieu de vie idéal de Nina | c lieu de vie idéal de Louise

LEÇON 2

Donnons des nouvelles d'ailleurs

Les prépositions pour indiquer la provenance

1 **Complète avec la préposition correcte.**

de | d' | du | des

a Pierre revient ...... Japon : il a adoré Kyoto !
b Cette fille vient ...... France, elle va faire un chantier humanitaire cet été.
c Ces jeunes viennent ...... Grèce, ... Athènes.
d Quand est-ce que Clara revient ...... États-Unis ?
e Cet avion revient ...... Rome.
f Cette lettre arrive ...... Corse, c'est Émile qui te l'envoie !

2 **Lis les bulles. De quel pays viennent ces ados ?**

~~Belgique~~ | Liban | Australie | Mexique | Espagne | Finlande | Inde

Je vis à Londres mais je suis né à Bruxelles. > **Robin vient de Belgique.**

a J'habite à Nice avec ma famille depuis trois ans mais je suis née à Helsinki.

> Eva ....
....

b Ma ville d'origine, c'est Beyrouth. Toute ma famille vient de là-bas.

> Zora ....
....

c Nous vivons à Paris mais nous sommes nés à Delhi.

> Munir et Delna ....
....

d J'habite en France avec mes parents mais je viens de Barcelone.

> Mathilde ....
....

e Nous sommes français mais nos parents sont de Sydney. Ils sont venus en vacances à Paris il y a quinze ans et ils y sont restés !

> Les parents de Tom et Darcy ....
....

f Nous sommes sœurs, nous vivons dans le sud de la France mais nous sommes nées à Acapulco.

> Natalia et Marta ....
....

Le pronom *y* complément de lieu

3 **Entoure les mots que *y* remplace.**

▸ – Tu viens (au cinéma) avec moi ce soir ?
– Non, j'**y** suis allé hier.

a – Tu vis au Sénégal ?
– Oui, j'**y** habite depuis six mois.

b – Tu es déjà allé à l'étranger pour faire un chantier ?
– Non, je n'**y** suis jamais allé. Et toi ?

c Regarde sur cette page web : tu **y** trouveras des choses très intéressantes sur les chantiers internationaux !

d Mes cousins n'habitent plus à la Guadeloupe mais ils **y** retournent chaque année.

e – Mathieu va au Vietnam cet été ?
– Oui, il **y** passe tout le mois de juillet pour voir sa grand-mère.

4 **Fais des phrases avec les éléments suivants et le pronom *y*, comme dans l'exemple.**

▸ Aller à la montagne tous les ans. (il) > À la montagne ? Il y va tous les ans.

a Être en Australie depuis trois jours. (nous)
> En Australie ? ....

b Aller à l'étranger tous les étés. (je)
> À l'étranger ? ....

c Habiter au Canada depuis l'année dernière. (mon cousin)
> Au Canada ? ....

d Se promener sur cette plage tous les dimanches. (vous)
> Sur cette plage ? ....

e Passer toutes leurs vacances d'hiver à l'île Maurice. (elles)
> À l'île Maurice ? ....

Écrire un mail amical

5 **Lis les mails et complète avec les mots suivants.**

Je vous embrasse | À plus | ça va | Chers | Et toi | Salut | vous allez bien

(1) .... Tom,
Je t'écris de mon chantier au lac des Sapins, près de Lyon. C'est génial ! On passe nos journées dans la nature et avec moi il y a des bénévoles qui viennent de partout.
(2) ...., (3) .... ?
Comment se passent tes vacances ?
(4) .... !
Oscar

(5) .... papi et mamie,
Je vous écris de mon chantier au lac des Sapins, près de Lyon. On fait beaucoup d'actions écologiques, on plante des arbres... Et il y a des bénévoles qui viennent de partout. Je suis très content ! Voilà ! Je vous raconterai tout à mon retour. Et vous, (6) .... ?
(7) ....
Oscar

LEÇON 3

Décrivons et défendons des traditions

Le pronom relatif *où*

1 Remets les mots dans l'ordre pour former des phrases.

a les traditions. – est – où – un pays – Le Japon – respectent – les jeunes

....

b très – est – La Réunion – où – est – agréable. – une île – la vie

....

c c'est – Lyon, – la ville – ma mère – où – née. – est

....

d où – pas – un pays – C'est – ne – allé. – suis – encore – je

....

e a – mon père – Le quartier – changé. – avant – habitait – beaucoup – où

....

f très – un endroit – j'ai – C'est – bizarres ! – des traditions – où – découvert

....

2 Fais des phrases avec *où*, comme dans l'exemple.

▸ Venise – une ville – un célèbre carnaval

> Venise, c'est une ville où il y a un célèbre carnaval / où on peut voir un célèbre carnaval.

a Paris – la ville – la tour Eiffel

> ....
....

b La Réunion – une île – un volcan, le Piton de la Fournaise

> ....
....

c La Nouvelle-Calédonie – un archipel – des paysages magnifiques

> ....
....

d L'Inde – un pays – de très beaux monuments

> ....
....

Le pronom *on*

3 **Transforme les phrases avec *on*, comme dans l'exemple.**

▸ Nous avons découvert les traditions de cette région espagnole.
 > On a découvert les traditions de cette région espagnole.

a Pendant notre voyage en Irlande, nous avons appris une danse traditionnelle.
……………………………………………………………………………………
b En France, les gens célèbrent la fête nationale le 14 juillet.
……………………………………………………………………………………
c Quelqu'un me dit que la capoeira vient du Mexique, mais ça vient du Brésil, n'est-ce pas ?
……………………………………………………………………………………
d Nous nous retrouvons entre cousins, une fois par an. C'est une tradition familiale.
……………………………………………………………………………………

Situer dans l'espace

4 **Complète les phrases avec les mots suivants. Aide-toi des photos.**

au-dessus | l'extérieur | partout | milieu | autour | l'intérieur

a Pour le Nouvel An chinois, toute la famille se réunit ……………………… d'une grande table ronde pour manger le repas traditionnel.
b Chacun décore sa maison : à droite, à gauche et ……………………… de la porte d'entrée, on met un panneau rouge avec un poème.
c On met des lumières et des décorations rouges ……………………… dans la ville : à ……………………… et à ……………………… des monuments, dans les arbres…
d J'adore me promener dans les rues, au ……………………… de ces décorations !

PHONÉTIQUE Les sons [ɔ], [o], [œ] et [ø]

5 (11) **Lis et écoute. Puis classe les mots soulignés dans le tableau.**

Autour de notre ville, il y a des montagnes. Avec ma sœur, on adore grimper en haut d'une montagne pour regarder l'horizon. On peut voir la côte et on rêve d'être ailleurs.

[ɔ]	[o]	[œ]	[ø]
………………………	autour	………………………	………………………
………………………	………………………	………………………	
	………………………		
	………………………		

CULTURES

Lis l'article et réponds.

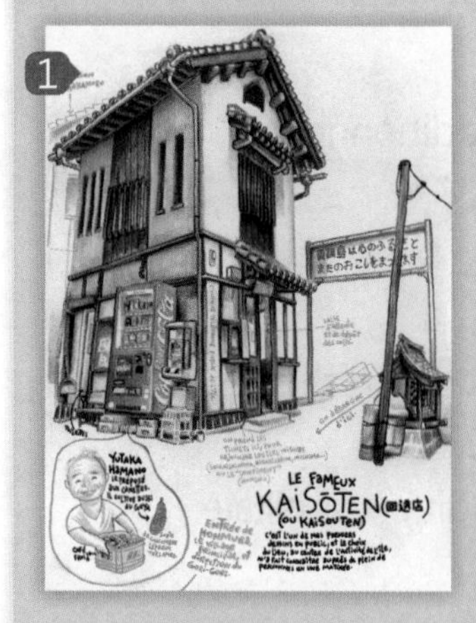

LE RENDEZ-VOUS DU CARNET DE VOYAGE

Depuis l'année 2000, le *Rendez-vous du carnet de voyage* a lieu chaque année à Clermont-Ferrand. Des écrivains voyageurs et des carnettistes* s'y retrouvent pour présenter leurs œuvres au public.

Le carnettiste français Florent Chavouet y était cette année pour la sortie de *L'Île Louvre*. Dans ce livre, il nous fait découvrir le célèbre musée parisien : les personnes qui y travaillent, les visiteurs, les salles et les œuvres exposées.

Dans d'autres carnets, Florent Chavouet nous raconte ses séjours au Japon. Dans *Tokyo Sanpo*, il a dessiné chaque quartier où il est allé et a décrit ses journées dans la capitale japonaise qu'il a découverte à vélo. Ses livres sont de véritables voyages !

* auteurs de carnets de voyage

a Où se passe le *Rendez-vous du carnet de voyage* ? Qui participe à cet événement ?

....

b De quels lieux parlent les carnets de voyage de Florent Chavouet cités dans l'article ?

Carnet n° 1 : .... Carnet n° 2 : ....

c Quels sont les thèmes de ces carnets ?

la vie de tous les jours | la montagne | les gens | la mer | les paysages de villes | l'art

Carnet n° 1 : ....

Carnet n° 2 : ....

GÉOGRAPHIE

a. 12 **Classe les lieux suivants dans le tableau. Puis écoute le dialogue pour vérifier.**

le Sénégal | l'île de la Réunion | la Guyane | la Tunisie | la Guadeloupe | la Martinique | le Maroc | la Belgique | le Québec | Mayotte

Pays ou provinces francophones	Régions et départements français d'outre-mer
....	....
....	....
....	....

b. Écris une devinette sur la région de la liste qui n'est pas citée dans le dialogue.

C'est une région ....

....

Autoévaluation

Situer et décrire des lieux

1 ... /5

Complète le témoignage avec les mots suivants.

côte | hémisphère | plage | océan | tropicale | palmiers | archipel | île | chaîne | sable

Salut, moi, c'est Vahinerii. J'habite sur une .... magnifique de l'................. sud, dans un .... situé dans l'................. Pacifique : Grande Terre, en Nouvelle-Calédonie. Une grande .... de montagnes divise l'île en deux. Toute ma famille vit sur la .... est, qui est .... On adore aller à la .... : il y a du .... blanc avec des .... !

Donner des nouvelles d'ailleurs

2 ... /2,5

Associe pour former des phrases.

a Paola vient d' ●　　● 1 Mexique.
b Nous sommes rentrés hier du ●　　● 2 États-Unis.
c Ma grande sœur revient de l' ●　　● 3 Acapulco.
d Ils sont venus des ●　　● 4 Turquie.
e Ses grands-parents viennent de ●　　● 5 étranger.

3 ... /5

Léonie écrit à son amie Nora. Complète son mail avec les mots des étiquettes.

j'y vais | de | Bisous, | Salut Nora ! | d' | Elle se trouve | du | À plus | de | on y va

A

....
Et voilà ! Je suis arrivée à San Francisco, après 15 heures d'avion ! Jess, ma correspondante, et ses parents sont super sympas et leur maison est trop belle ! .... près de la plage et, de la fenêtre de ma chambre, je vois l'océan : j'ai de la chance !
Demain, je commence mes cours. Au programme : anglais le matin et surf l'après-midi. Dans mon groupe, il y a des gens qui viennent .... partout : du Brésil, ... Japon, d'Espagne... Je me suis déjà fait une copine qui vient .... Allemagne, Tina, et il y a aussi un Français, Émile, qui vient .... Lyon.
Je n'ai pas encore vu le Golden Gate, mais .... tous ce week-end avec l'école.
Bon, ... : on m'appelle ! .... pour d'autres nouvelles !
....
Léonie

Décrire et défendre des traditions

4 ... /2,5

Complète les phrases avec les mots proposés.

traditionnel | culture | spécialités | traditions | patrimoine

a L'UNESCO est une organisation qui défend le .... immatériel.
b Dans tous les pays du monde, il y a des .... culturelles à sauver.
c L'Italie est un pays où il y a des .... culinaires délicieuses : les pâtes, les pizzas… !
d Le kimono est un vêtement .... du Japon.
e En voyage, on découvre la .... et les particularités des lieux où on va.

5 ... /5

Écris le contraire des phrases suivantes.

a Tu viens à l'extérieur ? > ....
b Viens voir dehors ! > ....
c Les danseurs sont au centre du cercle. > ....
d On met ça au-dessus du lit. > ....
e Retrouve-moi en bas de la tour ! > ....

Vérifie tes résultats p. 78. ... /20

APPRENDRE À APPRENDRE

a. Lis ces trois propositions. Classe-les par ordre de priorité.

Tu rentres chez toi après le collège. Dans quel ordre fais-tu ces choses ? D'abord..., puis... et...

A Je joue à un jeu en réseau.
B Je révise pour mon examen de demain.
C Je fais mon devoir d'histoire pour la semaine prochaine.

b. Observe cette expérience. Puis lis les phrases et coche les bonnes réponses.

Tu remplis un bocal avec des gros cailloux.	Tu y ajoutes des petits cailloux.	Puis du sable.	Puis de l'eau.

1 À ton avis, si tu fais l'expérience contraire (l'eau en premier, puis le sable, etc.), est-ce que tu peux ajouter les gros cailloux ? ☐ Oui. ☐ Non.

2 Quel élément de l'expérience symbolise les priorités (= les choses importantes à faire en premier) ? ☐ L'eau. ☐ Les petits cailloux. ☐ Le sable. ☐ Les gros cailloux.

c. Maintenant, relis les trois propositions du début et coche la bonne réponse.

Quelle situation correspond aux « gros cailloux » de l'expérience ? ☐ A ☐ B ☐ C

Pour mieux t'organiser, apprends à définir tes priorités !

Donnons notre avis

VOCABULAIRE

1 Les disciplines et les genres artistiques. **Relie les étiquettes pour trouver des types d'œuvres.**

une sculpture | une comédie | un spectacle | un film | une peinture | un roman

musicale | classique | fantastique | contemporaine | de cirque | d'horreur

COMMUNICATION

2 Donner son avis. **Complète les bulles avec les expressions ou mots suivants.**

à mon avis | original | pour | ennuyeux | pas mal | pense | trouvé

Vous connaissez ce film ?

Oui ! Moi, je .... qu'il est très .... ! On ne voit pas beaucoup de films comme ça !

Moi, je l'ai vu et je l'ai .... Mais ...., on va vite l'oublier !

.... moi, c'est un film très .... parce qu'il n'y a pas d'action !

LIRE

3 **Lis le programme. Retrouve :**

a cinq types d'artistes qu'on peut rencontrer ;
> une peintre
>..............................
>..............................
>..............................
>..............................

b trois disciplines artistiques qu'on peut apprendre à pratiquer ;
>..............................
>..............................
>..............................

c un événement où on peut donner son avis sur l'art ;
>..............................

d un événement où on peut voir des œuvres exposées.
>..............................

MÉDIATHÈQUE ARTHUR RIMBAUD

Festiv'Art

EN JUIN, C'EST LE MOIS DE L'ART ! DÉCOUVRE NOTRE PROGRAMME SPÉCIAL ADOS.

Exposition photo des élèves des Beaux-Arts « *L'art, c'est bizarre !* » Sam. 14 juin 15h30	Atelier avec Julia Delaporte, peintre « *Apprends à peindre comme Pollock* » Sam. 14 juin 17h00
Café-discussion : « À ton avis ? » animé par René Balland, photographe « *L'art, c'est toujours beau ?* » Mar. 17 juin 18h00	Atelier avec Anita Augier, musicienne « *Découvre la musique contemporaine* » Mer. 18 juin 15h00
Atelier avec José Duthion, artiste de cirque « *Fabrique tes propres balles et apprends à jongler* » Ven. 20 juin 18h00	Rencontre avec Joe Luviano, sculpteur « *Tout le monde peut faire de l'art ?* » Sam. 21 juin 14h00

LEÇON 2

Racontons une histoire

Pendant

1 **Observe les schémas. Puis complète les phrases avec *pendant* ou *il y a*, comme dans les exemples.**

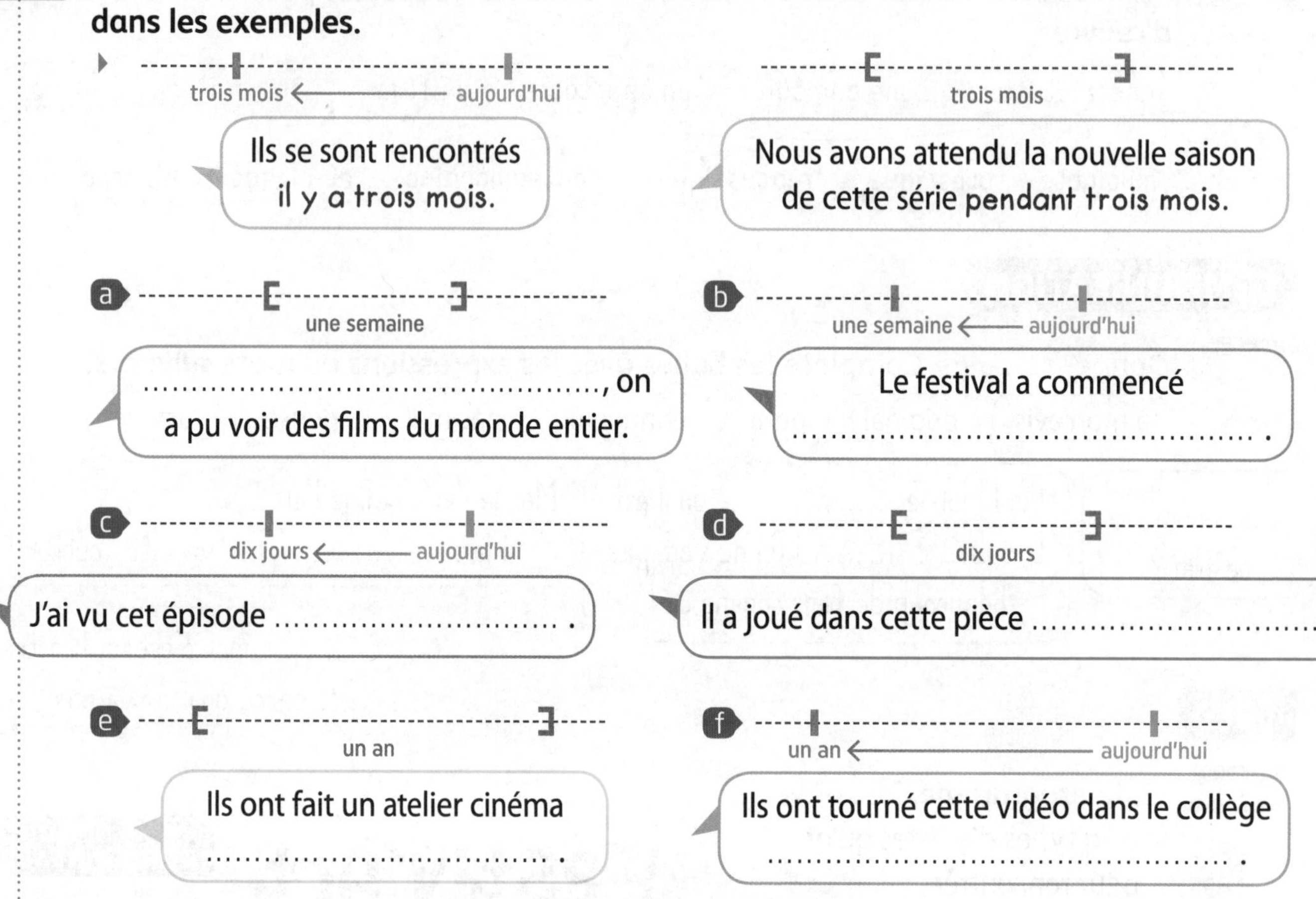

2 **Transforme les expressions soulignées. Utilise *pendant* ou *il y a*.**

- On pourra voir cette exposition <u>du 18 au 24 avril</u>.
  > On pourra voir cette exposition <u>pendant sept jours</u>.
- On ne peut plus voir cette expo : on est samedi et le dernier jour, c'était <u>mercredi</u> !
  > On ne peut plus voir cette expo : on est samedi et le dernier jour, c'était <u>il y a trois jours</u> !

a Il est resté au festival <u>de 10h à 19h</u> ? Incroyable !

....

b Nous sommes en 2017 ; ce film n'est pas sorti cette année, mais <u>en 2015</u> !

....

c On est le 28 mars ? Oh non ! Le spectacle, c'était <u>le 25</u> !

....

d C'est une série de vingt épisodes qui va passer à la télé <u>de mai à septembre</u>.

....

e Il est 18 heures et il n'est pas encore sorti du cinéma ? Il y est entré <u>à 14 heures</u> !

....

L'imparfait et le passé composé dans un récit

3 **Souligne les verbes qui expriment une action en rouge et ceux qui expriment une description en bleu. Puis conjugue-les au passé composé ou à l'imparfait.**

▸ Dans cette histoire, les personnages (se rencontrer) se sont rencontrés quand ils (avoir) avaient quatorze ans.

a Il y (avoir) .... beaucoup de monde quand nous (entrer) .... dans le musée.

b Sam (ne pas venir) .... voir le film parce qu'il (être) .... malade.

c Son scénario (gagner) .... le premier prix car l'histoire (être) .... drôle !

d La semaine dernière, ils (voir) .... un spectacle où il y (avoir) .... des jongleurs et des danseurs.

4 **Écris des minirécits en utilisant l'imparfait, le passé composé et le présent.**

a

Avant
(être seul et timide)

Un jour
(rencontrer Alice)

Maintenant
(avoir beaucoup d'amis)

> Avant, il était seul et timide. Mais un jour, il ....
et maintenant ils ....

b

Avant
(ne pas aimer les livres)

Un jour
(lire la série *U4*)

Maintenant
(adorer la lecture)

> Avant, nous ....
....

c

Avant
(faire du cirque)

Un jour
(tomber)

Maintenant
(faire du théâtre)

> Avant, je ....
....

PHONÉTIQUE La prononciation du passé composé et de l'imparfait

5 13 **Tu entends l'imparfait ou le passé composé ? Écoute et coche.**

	a	b	c	d	e	f
Imparfait						
Passé composé						

LEÇON 3

Nuançons notre opinion

Les adverbes d'intensité

1 **Entoure le ou les adverbes corrects.**

a Les images de ce film sont peu / assez / très horribles.

b On a trouvé le scénario beaucoup / très / plutôt intéressant !

c Les ados ont beaucoup / très / peu apprécié le spectacle.

d Ce roman ne m'a beaucoup / assez / pas du tout plu.

e C'est plutôt / beaucoup / trop bien d'aimer lire !

2 **Complète avec *un peu, peu, très* ou *beaucoup*.**

a – Il y a .... d'épisodes dans cette série ?
– Oui : 534 !

b Lucas a .... d'amis qui aiment les mêmes films que lui, alors il va au cinéma tout seul.

c Ils ont adoré la série et ils sont .... impatients de voir la suite !

d La fin est .... étonnante, mais pas trop...

e Ce type de roman l'intéresse .... ! Il adore !

f Ce roman a eu .... de succès car il est difficile à lire.

3 14 **Lis les situations suivantes et écoute les réactions. Associe-les.**

a Il a vu un spectacle de cirque, il l'a trouvé nul. > réaction n° ......

b Il sort du cinéma. Le film était excellent. > réaction n° ......

c Le tableau qui est chez son copain, il le trouve original. > réaction n° ......

d Le film qu'il regarde ne le passionne pas. > réaction n° ......

e Le dernier roman qu'il a lu était pas mal. > réaction n° ......

f Il explique à un ami que le livre qu'il lit fait un peu peur. > réaction n° ......

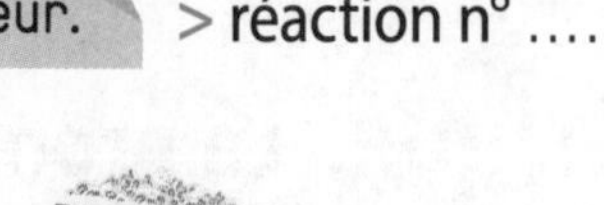

La mise en relief

4 **Écris *sujet* ou *COD* sous les mots soulignés. Puis transforme la phrase avec *ce qui*, *ce que* ou *ce qu'*.**

▸ L'histoire m'intéresse beaucoup dans ce livre.
sujet
> Ce qui m'intéresse beaucoup dans ce livre, c'est l'histoire !

a Tristan a bien aimé le personnage principal.
....
>..

b J'ai adoré les couleurs de ce tableau !
....
>..

c Le thème est original !
....
>..

d Ils détestent les films d'horreur !
....
>..

e Le cinéma te passionne ?
....
>..

f Éloïse a trouvé le scénario étonnant.
....
>..

5 **Complète le questionnaire avec *ce qui, ce que* ou *ce qu'*. Puis réponds personnellement.**

— Biblio —
Les livres et toi

a .... j'apprécie particulièrement, ce sont :
☐ les romans.
☐ les BD ou les mangas.
☐ les livres documentaires*.
☐ autre : ....

b .... est important pour moi dans un livre, c'est / ce sont :
☐ l'histoire.
☐ les personnages.
☐ l'atmosphère.
☐ autre : ....

* livres qui parlent d'un sujet culturel ou à caractère informatif

c .... il faut pour faire un bon livre, c'est :
☐ du suspense.
☐ de l'émotion.
☐ de l'action.
☐ autre : ....

d .... est difficile pour moi, c'est de :
☐ lire un livre sans m'arrêter.
☐ commencer un nouveau livre.
☐ lire plusieurs livres en même temps.
☐ autre : ....

e .... je préfère, c'est :
☐ lire des livres à la bibliothèque.
☐ lire dans mon lit.
☐ lire dans les transports en commun.
☐ autre : ....

CULTURES

Observe et lis ces vignettes de Geluck, extraites de l'exposition *L'Art et Le Chat*.

a 15 **Écoute les explications et associe-les aux vignettes.**

1

> Explication ......

2

> Explication ......

3

> Explication ......

1. satisfait : content. 2. labrador et dalmatien : types de chiens. 3. motif : dessin. 4. grossir : donner l'illusion qu'on est gros. 5. également : aussi.

b À quelles grandes œuvres les dessins de Geluck font-ils référence ? Écris le nom de l'artiste sous chaque œuvre.

Jackson Pollock | Pierre Soulages | Yves Klein | Victor Vasarely

.................................,
Triptyque, 2009

....
..........................,
Monochrome bleu, 1960

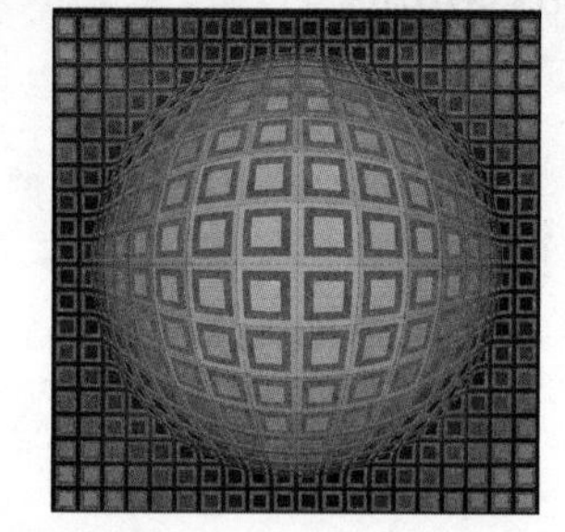

....
..........................,
Vega Szem, 1978

.................................,
Number 14 : gray, 1948

ARTS PLASTIQUES

Lis les devinettes et retrouve quel(s) artiste(s) de la rubrique « Cultures » appartien(nen)t à ces courants artistiques.

a — **L'Op Art ou art optique** est né dans les années 1960. Quand on regarde les œuvres, on a l'illusion qu'elles sont en 3D.

....

b — Quelques peintres de **l'art abstrait** ont réalisé des œuvres d'une seule couleur. Ils ont travaillé sur la création de nouvelles couleurs ou sur les différentes lumières d'une même couleur.

....
....

c — **L'expressionnisme abstrait** est né aux États-Unis dans les années 1940-1950. Plusieurs peintres ont transformé la peinture en une action physique (*Action painting*) : ils ont par exemple jeté de la peinture sur leur tableau posé par terre.

....

Autoévaluation

Donner son avis

1 (16) ... /5

Retrouve cinq types d'œuvres artistiques. Puis écoute et écris de quelle œuvre on parle.

FILMDANIMATIONTABLEAUSPECTACLEDEJONGLAGEROMANFANTASTIQUESCULPTURE

a ....
b ....
c ....
d ....
e ....

Raconter une histoire

2 ... /5

Réponds aux questions avec les indications données. Utilise *pendant* ou *il y a*.

a Quand avez-vous vu ce film ? (10 jours)
> J'ai vu ce film ....
b Combien de temps es-tu resté au festival ? (2 jours)
> ....
c Tu as écrit cette histoire il y a combien de temps ? (2 mois)
> ....
d Quand est-ce qu'ils ont découvert cet auteur ? (1 an)
> ....
e Vous avez attendu longtemps pour entrer ? (1 heure)
> Oui, nous ....

3 ... /4

Transforme le récit suivant au passé.
Utilise le passé composé ou l'imparfait.

Ce soir, quand Gabriel <u>rentre</u> chez lui, il <u>monte</u> dans sa chambre et là… Horreur ! Plus rien n'<u>est</u> à sa place. Tous les livres de sa bibliothèque <u>se trouvent</u> par terre ! Ses livres adorés ! Et il y <u>a</u> plusieurs pages déchirées sur son lit. Il <u>lit</u> les pages et <u>reconnaît</u> tout de suite son roman préféré… Bizarre… car ce roman <u>raconte</u> aussi l'histoire d'un livre déchiré…

> Ce soir-là, quand ....
....
....
....
....
....
....
....
....

Nuancer son opinion

4 ... /3

Complète les bulles avec les expressions suivantes.

trop ennuyeux | beaucoup aimé | pas du tout passionnant | plutôt étrange | top | assez inquiétants

a 

Nul ! Ce n'était .... !

b Oh là là, c'était long et .... !

c 

C'était .... ! J'ai .... !

d Bizarre ce livre... Les personnages étaient .... et l'histoire .... !

Décrire des personnes

5 ... /3

Associie pour former des phrases correctes.

a Ce que •
b Ce qu' •
c Ce qui •

• 1 m'a intéressé dans ce roman, ce sont les personnages.
• 2 j'ai préféré dans cette exposition, c'est le tableau de Soulages.
• 3 ils ont trouvé excellent dans ce film, c'est la fin.
• 4 Emma n'a pas du tout aimé dans ce spectacle, ce sont les jongleurs.
• 5 leur a plu dans ce festival, c'est la rencontre avec des écrivains.
• 6 Julia n'aime pas dans ce tableau, ce sont les couleurs.

Vérifie tes résultats p. 78. ... /20

APPRENDRE À APPRENDRE

a. **Choisis six mots dans la liste et mémorise-les en suivant le conseil.**

histoire | jongler | peinture | horreur | bizarre | épisode | adolescent | ennuyeux

Conseil : ferme les yeux pendant cinq minutes et crée une image mentale pour chaque mot (= un dessin ou une photo dans ta tête). Puis associe l'image à un souvenir, une musique, une émotion, quelque chose de drôle, etc.

b. **Par deux. Sans regarder les mots, dis à ton/ta camarade ceux que tu as mémorisés et explique-lui quelle image et quelle association tu as trouvées pour chacun. Te souviens-tu des six mots ?**

Pour mémoriser facilement, crée des images et des associations mentales.

Parlons de nos habitudes de consommation

VOCABULAIRE

1 La consommation et le développement durable. **Lis les slogans et complète-les.**

a 

b 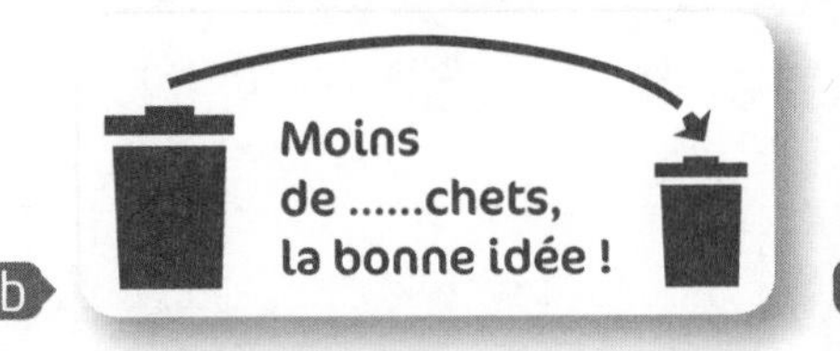

c 

d 

COMMUNICATION

2 Féliciter / Exprimer une déception ou une critique. **Reconstitue les expressions. Puis souligne les expressions pour féliciter.**

Bien | Bra- | C'est | Dom- | Féli- | Gé- | Je suis | Min- | Su- | Tant

bête ! | -ce ! | -citations ! | déçu ! | joué ! | -mage ! | -nial ! | -per ! | pis ! | -vo !

....

....

PHONÉTIQUE L'accent d'insistance

3 (17) **Écoute les phrases et souligne les syllabes prononcées avec un accent d'insistance.**

a Tu jettes tout ça ? Quel gâchis !
b Tu l'as réparé ? Bravo !
c Il est cassé ? Oh, c'est bête !
d Je suis déçu !

ÉCOUTER

4 (18) **Écoute et réponds vrai ou faux.**

	Vrai	Faux
a Inès regarde un site web sur des objets et vêtements de marque.	☐	☐
b Inès pense qu'elle n'a pas une consommation responsable.	☐	☐
c Sur le site web, on peut trouver des adresses pour :		
1 apprendre à réparer des objets.	☐	☐
2 trier ses déchets.	☐	☐
3 apprendre à moins gaspiller les aliments.	☐	☐
4 vendre des objets.	☐	☐
5 acheter des objets d'occasion.	☐	☐
6 échanger des objets.	☐	☐
d Samir va vendre son vieux téléphone portable.	☐	☐

LEÇON 2

Proposons des solutions

Le passé récent

1 **Tu entends le passé récent ou le futur proche ? Écoute et coche.**

	Ex.	a	b	c	d	e	f	g	h
Passé récent									
Futur proche	✓								

2 **Transforme les phrases au passé récent, comme dans l'exemple.**

▸ Mes copains ont fait de la récup' avec de vieux objets.
> Mes copains viennent de faire de la récup' avec de vieux objets.

a J'ai mis des livres dans une boîte à dons.

....

b Tu as réparé ton réveil ?

....

c Nous avons appris à faire du compost à la maison.

....

d Qui a jeté ces feuilles de papier à la poubelle ?

....

e Nous avons vendu des vêtements à la ressourcerie.

....

3 **Complète les phrases en utilisant le passé récent et les verbes proposés.**

trier · mettre · jeter · donner · ~~remettre~~ · casser

▸ Noémie vient de remettre son bureau en bon état. Elle va le vendre.

a Je .... ma lampe. Je vais la réparer.

b Tes copains .... des objets à cette association.

c Tu .... ton vieux blouson ? Tu ne l'as pas donné ? C'est nul !

d Nous .... nos déchets. Ils vont être recyclés.

e Vous .... des vêtements dans une Givebox ?

Les verbes en *-dre*

4 **Associe.**

a nous enten-	1 -ds		A apprendre
b tu atten-	2 -d		B attendre
c elles répon-	3 -dons		C comprendre
d je descen-	4 -nons		D descendre
e on appren-	5 -dez		E entendre
f nous compre-	6 -nez		F perdre
g elle per-	7 -dent		G prendre
h vous ren-	8 -nnent		H rendre
i ils pre-			I répondre
j vous surpre-			J surprendre

5 **Complète les affiches avec les verbes proposés, conjugués au présent.**

apprendre | attendre | attendre | défendre | répondre | vendre

a

b

c

d

Imaginons l'avenir

Le futur simple

1 **Relie chaque verbe au futur à son infinitif. Puis retrouve l'infinitif manquant.**

ils feront | tu devras | je voudrai | on ira | nous saurons | vous serez
tu verras | elle viendra | je donnerai | il pourra | elles grandiront

aller | devoir | être | faire | grandir | pouvoir | savoir | venir | voir | vouloir

Infinitif manquant : ....

2 **Conjugue les verbes proposés au futur simple.**

Mes bonnes décisions écologiques !

À partir de maintenant...

1. Je .... (être) plus respectueuse de la planète.
2. Je .... (faire) au minimum trois bonnes actions écologiques par jour !
3. Ma famille et moi, nous nous (informer) .... bien sur Internet et nous .... (apprendre) à recycler nos vieilles affaires.
4. J'.............. (aider) mes amis à faire comme moi et, eux aussi, ils .... (changer) leurs mauvaises habitudes et .... (polluer) moins !
5. Je .... (lire) mes « bonnes décisions » une fois par semaine pour ne pas les oublier.

Exprimer un espoir

3 20 **Écoute et associe les affiches aux dialogues.**

a 

Dialogue n° ......

b 

Dialogue n° ......

c 

Dialogue n° ......

4 **Fais des phrases pour exprimer des espoirs avec les éléments proposés.**

▸ je | hier | tu | oublier de trier tes déchets

> J'espère que tu n'as pas oublié de trier tes déchets hier !

a nous | demain | vous | pouvoir emprunter des skis

> ....

b je | maintenant | tout le monde | comprendre l'importance de protéger la planète

> ....

....

c ma mère | hier | mon père et moi, on | réussir à réparer son vélo

> ....

d les écologistes | dans trente ans | les gens | polluer moins

> ....

Si + présent

5 **Associe les débuts et fins de phrases. Puis conjugue les verbes au temps qui convient.**

a Si on emprunte ou si on échange,

b Si vous voulez recycler,

c Si tu veux protéger l'environnement,

d Si on ne plante pas d'autres arbres,

e Si nous continuons à jeter beaucoup de choses,

1 .... (faire / toi) de petits gestes écologiques : ils sont très importants !

2 les forêts .... (disparaître) !

3 vous .... (devoir) d'abord trier vos déchets.

4 on .... (ne pas avoir besoin) d'acheter.

5 la Terre .... (devenir) une poubelle !

CULTURES

🎧21 **Lis l'article puis écoute. Dans chacune des trois situations, il y a un conseil que les personnes ne suivent pas : lequel ?**

Le gaspillage alimentaire : 3 idées pour ne pas gâcher !

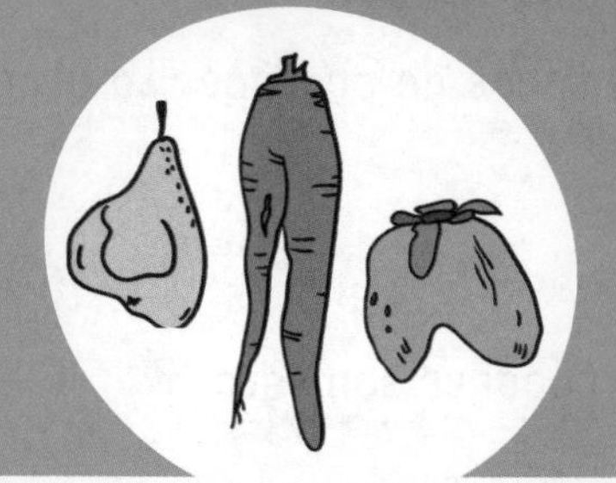

1 **« Abîmé » ne veut pas dire « mauvais » !**
Tes légumes ou tes fruits sont abîmés ? Ce n'est pas grave ! Tu peux faire de la soupe ou un gâteau. Il y aura les mêmes vitamines et le même goût qu'avec des fruits ou légumes plus beaux !

2 **Stop au gaspillage au restaurant !**
Tu ne finis pas ton assiette au resto ? Pas de problème : demande à emporter ce qui reste ! Tu le mangeras ce soir ou demain...

3 **Les récipients transparents, c'est plus intelligent !**
Utilise des boîtes transparentes pour garder la nourriture au réfrigérateur, car si tu ne vois pas ce qu'il y a à l'intérieur, tu vas l'oublier et tu vas devoir la jeter.

Situation A : conseil nº ...... non suivi.
Situation B : conseil nº ...... non suivi.
Situation C : conseil nº ...... non suivi.

MATHÉMATIQUES

a. **Associe les pourcentages et les fractions.**

a 10 %	1 1/2 (un demi, la moitié)
b 20 %	2 1/10 (un dixième)
c 25 %	3 1/3 (un tiers)
d 33 %	4 1/4 (un quart)
e 50 %	5 3/4 (les trois quarts)
f 75 %	6 1/5 (un cinquième)

b. **Lis l'enquête et complète la bulle avec les expressions proposées.**

un cinquième | la moitié | un quart | un tiers | un quart

À la maison, 25 % de la nourriture finit à la poubelle

Salade	50 %
Pain	33 %
Fruits	25 %
Légumes	20 %

Enquête réalisée par l'Institution of Mechanical Engineers

Dans le monde, ... de la nourriture de chaque maison finit à la poubelle : .... est du pain, ... sont des légumes, ... de la salade et .... des fruits !

Autoévaluation

Parler de ses habitudes de consommation

1 ... /4

Complète les annonces suivantes avec les mots proposés.

abîmés | affaire | cassés | état | marque | occasion | qualité | réparer

petitezannonces.fr

a **Jocelyn M.** À vendre : vélo d'.......................... en très bon .... 45 euros.

b **Clément T.** Cherche atelier de bricolage gratuit dans la région de Nantes, pour apprendre à .... des objets .... ou ....

c **Lorie V.** Tu veux faire une bonne .... ? Je vends 10 tee-shirts de ...., de très bonne ...., taille M fille. 12 euros.

2 ... /3

Complète avec des expressions pour féliciter ou exprimer une déception ou une critique. (Il y a plusieurs réponses possibles.)

a
– Tu as vu la poubelle, derrière la cantine ? Elle est pleine de nourriture !
– Oui ! Quel .... !

b
– Regarde, cette année, je n'ai pas acheté de matériel scolaire : j'ai échangé un sac à dos contre trois stylos, une règle, deux cahiers et une trousse !
– Bien .... ! .... !

c
– Oh, ... ! J'ai cassé mon MP4 ! ...., je vais le jeter !
– Mais non, c'est .... ! Tu peux peut-être le réparer ?

Proposer des solutions

3 (22) ... /4

Qu'est-ce qu'ils viennent de faire ? Écoute puis complète les phrases. Utilise le passé récent.

▸ Je viens de mettre des sacs à dos que je n'utilisais plus dans une Givebox.

a .... : on va les apporter à la ressourcerie.

b Je .... pour dix euros !

c Papa, regarde : .... !

d C'est le MP4 de maman. .... contre un appareil photo qu'elle n'utilisait pas !

4

... /4

Transforme les phrases avec le sujet proposé.

a Je réponds par mail au garçon qui veut échanger son skate ?

> Nous ....

b Dans cet atelier, j'apprends à réparer de vieux objets.

> Dans cet atelier, nous ....

c Tu as froid ? Qu'est-ce que tu attends pour fermer la fenêtre ?

> Vous avez froid ? Qu'est-ce que vous ....

d Pour économiser l'eau, elle prend des douches et pas de bains.

> Pour économiser l'eau, elles ....

Imaginer l'avenir

5

... /5

Complète avec les verbes proposés conjugués au futur simple.

avoir | devenir | disparaître | savoir | utiliser

a Si on ne fait rien, la pollution de l'atmosphère .... un très grave problème !

b Dans le futur, ...-nous prévoir les catastrophes naturelles ?

c Si tous les pays font un effort, on .... beaucoup plus d'énergies renouvelables dans dix ans.

d Si on ne fait rien, les forêts tropicales ....

e Dans vingt ans, de nombreux pays n'................. plus de ressources naturelles.

Vérifie tes résultats p. 79. ... /20

APPRENDRE À APPRENDRE

Fais le test suivant puis lis tes résultats. Penses-tu avoir la bonne attitude ?

TEST *Comment réagis-tu en situation d'échec* ?*

1. Tu viens d'avoir un très mauvais résultat à ton évaluation. Que fais-tu ?

- ◆ Tu pleures et tu restes dans ta chambre pendant quelques heures.
- ✻ Tu fais la liste de tes erreurs pour ne plus faire les mêmes la prochaine fois !
- ● Il n'y a rien à faire ! Tu n'es pas bon(ne) dans cette matière et ça ne changera jamais !

2. Tu viens de participer à une compétition sportive importante et ton équipe a perdu. Que fais-tu ?

- ● Tu arrêtes ce sport, tu n'es pas fait(e) pour ça.
- ◆ Tu es en colère, tu jettes ton maillot et tu ne parles plus à ton équipe pendant quelques semaines.
- ✻ Tu écoutes bien les conseils de ton entraîneur pour t'améliorer !

3. Tu viens de casser ton nouveau lecteur MP4. Comment réagis-tu ?

- ✻ Tu cherches comment le réparer et tu penses que tu dois faire plus attention à tes affaires !
- ● Tant pis, il était de mauvaise qualité. Tu l'oublies vite !
- ◆ Tu es déçu(e) et tu penses à ça pendant toutes tes vacances !

Résultats

- ◆ Difficile de contrôler tes émotions ! L'échec, pour toi, c'est la fin du monde ! Mais tu sais, l'erreur est humaine, ce n'est pas une catastrophe !
- ● Tu gaspilles tes capacités : quand tu ne réussis pas quelque chose, tu n'essaies pas une deuxième fois. Laisse-toi une deuxième chance !
- ✻ Pour toi, les erreurs, c'est une bonne expérience ! Tu les « recycles », car tu sais qu'on peut apprendre beaucoup d'elles !

* le fait de ne pas réussir

Pour t'améliorer, apprends de tes erreurs !

Parlons des aliments et des saveurs

VOCABULAIRE

1 La nourriture et les ustensiles. **Observe le « serpent » de mots et retrouve un mot pour chaque catégorie proposée. Puis reconstitue le mot caché avec les lettres en trop.**

fcrêpeouassiettercpuréehsaucissetchou-fleurte

- un légume > un ....
- un ustensile > une ....
- un produit à base de viande > une ....
- un dessert > une ....
- un plat à base de pommes de terre > la ....

→ Mot caché : une ....

COMMUNICATION

2 Donner une appréciation sur la nourriture. **Complète les phrases avec les mots proposés.**

délice | appétissant | bonne | horreur | épicé | délicieux | dégoûtant

a Beurk, du chou-fleur ! C'est .... !
b Miam ! Ce gâteau est un .... !
c C'est .... Je peux goûter ? Hummm, et c'est .... !
d Elle a l'air .... cette purée !
e Les légumes, j'ai .... de ça !
f Oh là là ! Le goût est fort ! C'est très .... !

LIRE

3 **Lis le forum et complète avec les prénoms correspondants.**

a Qui aime manger un aliment qui n'est pas cuit ? > ....
b Qui aime les goûts et les aliments variés dans la cuisine ? > ....
c Qui n'apprécie pas un aliment car il/elle trouve qu'il n'a pas assez de goût ? > ....
d Qui aime les desserts asiatiques qui sont acides ? > ....

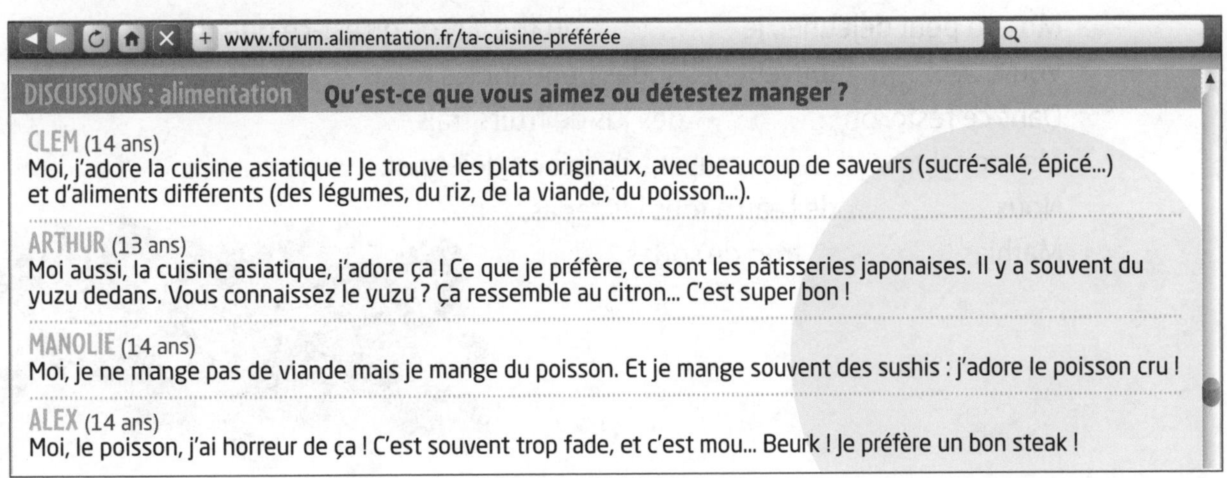

www.forum.alimentation.fr/ta-cuisine-préférée

DISCUSSIONS : alimentation — **Qu'est-ce que vous aimez ou détestez manger ?**

CLEM (14 ans)
Moi, j'adore la cuisine asiatique ! Je trouve les plats originaux, avec beaucoup de saveurs (sucré-salé, épicé...) et d'aliments différents (des légumes, du riz, de la viande, du poisson...).

ARTHUR (13 ans)
Moi aussi, la cuisine asiatique, j'adore ça ! Ce que je préfère, ce sont les pâtisseries japonaises. Il y a souvent du yuzu dedans. Vous connaissez le yuzu ? Ça ressemble au citron... C'est super bon !

MANOLIE (14 ans)
Moi, je ne mange pas de viande mais je mange du poisson. Et je mange souvent des sushis : j'adore le poisson cru !

ALEX (14 ans)
Moi, le poisson, j'ai horreur de ça ! C'est souvent trop fade, et c'est mou... Beurk ! Je préfère un bon steak !

LEÇON 2

Comparons des types de restauration

Les verbes comme *servir* et *sentir*

1 **Associe les étiquettes pour former le maximum de formes verbales. Puis complète les phrases avec les formes correctes.**

DORM- PART- SOR- SER- SORT- PAR- DOR- SERV-

-T -ENT -S -ONS -EZ

Formes verbales : ....
....
....

a Aujourd'hui, le chef vous .... sa spécialité !
b – Vous .... souvent après le déjeuner ?
– Oui, tous les jours pendant vingt minutes, pour être moins fatigué l'après-midi.
c – Sur place ou à emporter ?
– À emporter, s'il vous plaît, mon train .... dans quinze minutes !
d Le dimanche matin, je ne prends pas de petit déjeuner : je .... jusqu'à midi.
e – Nous .... en famille ce soir : on va dîner au nouveau restaurant indien.
– Vous avez de la chance ! Nous, on ne .... pas.
f Ces food trucks .... jusqu'à quelle heure ?
g – Baptiste, à table ! Je te .... !
– Mais non maman ! Je .... ! C'est l'heure de mon cours de hip-hop !
h La cantine est fermée maintenant. Vous ...., s'il vous plaît !

Le verbe *boire*

2 **Complète les phrases avec le verbe *boire* au présent.**

a Moi, au petit déjeuner, je .... du thé. Et toi, qu'est-ce que tu .... le matin ?
b Vous .... souvent des sodas pendant les repas ?
c Dans ce resto, on .... des jus de fruits frais.
d Mes copains .... souvent du lait au déjeuner.
e Nous .... de l'eau à tous les repas.
f Mathias .... trop de sodas.

Le comparatif

3 **Compare ces deux camions-restos. Complète les phrases avec *plus (de)*, *moins (de)*, *aussi* ou *autant de*.**

a On propose .... plats dans le menu du Camion bleu que dans le menu du Camion des potes.
b Le menu est .... cher au Camion bleu qu'au Camion des potes.
c Les plats sont .... variés au Camion des potes qu'au Camion bleu.
d Dans le menu du Camion des potes, il y a .... desserts faits maison que dans le menu du Camion bleu.
e Le Camion bleu sert .... tard que le Camion des potes.
f Le Camion des potes ouvre .... tôt que le Camion bleu.

4 **Entoure la réponse correcte.**

a Je trouve que les desserts au chocolat sont *mieux* / *meilleurs* que les desserts aux fruits !

b Le camion « Chez Lulu », c'est *mieux* / *meilleur* qu'à la cantine parce qu'ils servent plus vite !

c Je suis fan de la cuisine italienne ! Pour moi, elle est *meilleure* / *mieux* que la cuisine française !

d Les gâteaux de mon grand-père sont *meilleurs* / *mieux* que les gâteaux du boulanger !

e Moi, à midi, je préfère déjeuner chez moi. C'est *mieux* / *meilleur* qu'à la cantine parce que j'ai plus de temps pour manger.

LEÇON

3 Commandons au restaurant

Le pronom COD *en*

1 Lis les dialogues et complète avec les mots proposés.

un plat végétarien | ~~des pâtes~~ | beaucoup de clients | de la soupe | un plat du jour | trois tables

– Tu manges des pâtes à tous les repas ?
– Non, mais j'en mange souvent.

a – On prépare .... pour notre « restaurant d'un jour » ?
– Mais non, on en prépare quatre ! On pourra avoir plus de clients.

b – Vous avez eu .... pour le « Restaurant Day » ?
– Oui, on en a eu presque quarante !

c – Vous servez .... ?
– Oui, on en sert un, avec les légumes du marché.

d – Tu veux .... ?
– Non, je n'en veux pas, je n'aime pas ça !

e – Le client de la table 6 a pris .... ?
– Non, il n'en a pas pris, il a pris un menu.

2 Reconstitue les réponses suivantes. Puis associe chaque réponse à la question correspondante.

a a – Il – en – trois. – y
.... > question n° ......

b le – en – ouvrir – on – dans – parc ! – peut – un – Oui,
.... > question n° ......

c en – Non, – il – y – n' – a – pas.
.... > question n° ......

d il – sert – n' – Non, – pas. – en
.... > question n° ......

1 Il y a combien de fast-foods dans ton quartier ?

2 Est-ce qu'il y a des food trucks près de chez toi ?

3 On ouvre un restaurant d'un jour ?

4 Est-ce que ce camion-resto sert des spécialités étrangères ?

PHONÉTIQUE La liaison avec le pronom *en*

3 (23) **Indique la liaison avant et/ou après *en* quand c'est nécessaire. Puis écoute pour vérifier.**

▸ Il y a du pain. On‿en‿a acheté ce matin.

a De la viande, je n'en mange jamais !

b Les cookies, j'adore ça ! On en achète ?

c Ici, on sert du yaourt à boire. Vous en avez déjà bu ?

d J'adore faire des gâteaux ! Je peux en préparer un pour ton anniversaire !

e Où est le ketchup ? Il n'y en a plus ?

Passer une commande au restaurant et demander poliment

4 **Complète le dialogue avec les mots proposés.**

va – apporte – voulez – prendre – choisi – désirez-vous – pourrait – voudrais

Serveur : Vous avez .... ?
Mila : Oui, on va prendre une entrée et un plat.
Serveur : Très bien. Que .... en entrée ?
Mila : Moi, je vais .... une soupe de légumes.
Robin : Et moi, je .... une salade italienne, s'il vous plaît.
Serveur : Et comme plat ?
Mila : On .... prendre deux hamburgers avec des frites.
Serveur : Vous .... boire quelque chose ?
Robin : Oui. Un jus d'orange et de l'eau, s'il vous plaît.
Mila : Et on .... avoir du ketchup ?
Serveur : Bien sûr ! Je vous .... ça tout de suite !

5 **Tu es au restaurant avec des amis. Utilise des formules différentes pour demander poliment.**

a une salade > En entrée, je ....

b de la moutarde > On .... ?

c du pain > Vous .... ?

d une quiche lorraine > En plat principal, on ....

e un cupcake au chocolat > En dessert, je ....

f une serviette > Je .... ?

CULTURES

24 **Écoute le reportage. Puis relie chaque spécialité à son nom et à la phrase correspondante.**

2

le foie gras

les huîtres

le roquefort

a C'est un des fromages préférés des Français : ils en produisent plus de 17 000 tonnes par an !

b Ils en mangent environ 80 000 tonnes par an, et presque la moitié pendant les fêtes de Noël et du Nouvel An. Leur goût pour ce fruit de mer date du XVIIe siècle.

c Il vient en général du canard. La France est le premier consommateur et producteur de ce produit dans le monde.

SCIENCES DE LA VIE ET DE LA TERRE

a. Lis les informations ci-dessous et calcule le nombre de calories consommées par Jonas aujourd'hui.

Les besoins énergétiques quotidiens varient beaucoup d'un adolescent à l'autre (selon sa taille, son poids, son activité physique...). Les médecins conseillent de consommer un certain nombre de calories par jour, selon le poids et le sexe de la personne.

Poids (en kg)		40	50	60	70
Nombre de kilocalories (kcal) conseillé par jour pour les 13-18 ans actifs	Garçons	2 500	2 800	3 100	3 400
	Filles	2 400	2 600	2 700	2 900

b. Compare le nombre de calories consommées par Jonas avec les chiffres du tableau. Coche la bonne réponse.

Aujourd'hui, Jonas a consommé ☐ plus / ☐ moins / ☐ autant de calories que le nombre de calories conseillé.

Autoévaluation

Parler des aliments et des saveurs

1 ... /4

Relie chaque aliment à un commentaire. Puis écris le nom des aliments.

Ce truc liquide et tout vert… Berk ! Je ne trouve pas ça très appétissant… — Thibault

Je trouve ça fade et trop mou ! Quand j'étais enfant, je mangeais seulement l'intérieur : le chocolat ou le sucre… Ça, j'adorais ! — Maud

C'est trop salé, je trouve ça dégoûtant ! Et puis, moi, je ne mange pas de viande. — Valentin

Je ne peux pas en manger, je trouve que ça sent trop mauvais ! Et je n'aime pas beaucoup les produits laitiers. — Lisa

a les ....

b les ....

c la ....

d le ....

Comparer des types de restauration

2 ... /3

Complète les phrases avec un comparatif, selon les indications données.

a Au restaurant, il y a .... (+ choix) qu'à la maison !

b Vous avez seulement vingt minutes pour déjeuner ? Ici, on vous sert .... (= vite) que chez vous !

c Dans une journée, je bois .... (= lait) que d'eau.

d À mon avis, les légumes du marché sont .... (+ bons) pour la santé que les légumes surgelés.

e Ce food truck est ouvert .... (+ souvent) que celui qui est à côté du collège.

f Ce restaurant est grand, mais il y a .... (– tables) à l'intérieur qu'en terrasse.

3 ... /5

Conjugue les verbes au présent.

a Ici, nous vous .... (servir) des cookies faits maison à toute heure !

b Claire .... (dormir), elle ne veut pas manger aujourd'hui.

c Au Camion des amis, on .... (servir) jusqu'à 23 heures.

d Vous .... (boire) quelque chose ?

e Ces fromages .... (sentir) plus mauvais que les fromages du supermarché !

Commander au restaurant

4

... /4

Transforme les phrases avec le pronom COD *en*.

- Je mange du pain à tous les repas. > J'en mange à tous les repas.

a Ce food truck sert des sushis. > ....

b Le serveur apporte du pain. > ....

c Je voudrais un peu d'eau. > ....

d Elle prépare un couscous. > ....

5

... /4

Au camion-resto. Reconstitue deux dialogues à partir des répliques suivantes (en bleu : le serveur, en vert : les clients).

a Oui, un yaourt glacé.

b Bonjour, je voudrais une crêpe au chocolat et un soda, s'il vous plaît.

c Parfait, deux formules « goûter », donc. Je vous prépare ça tout de suite !

d Moi, une crêpe banane-chocolat et un jus d'orange.

e Très bien, je vous apporte ça tout de suite !

f Oui, je vais prendre un hamburger.

g Une crêpe et un soda… Et pour vous ?

h Monsieur, vous avez choisi ?

i D'accord. Et vous désirez un dessert ?

j Bonjour, que désirez-vous ?

Dialogue 1 : h, ... Dialogue 2 : j, ...

Vérifie tes résultats p. 79. ... /20

APPRENDRE À APPRENDRE

a. À ton avis, quelles attitudes sont bonnes pour l'attention et la concentration ? Entoure-les.

1 Moi, j'aime bien réviser mes leçons et répondre à mes SMS en même temps ! Je perds moins de temps !

2 Quand j'apprends mes leçons, j'ai toujours une bouteille d'eau à côté de moi.

3 Je dors 7 heures par nuit car je n'ai pas besoin de dormir plus.

4 Je prends un petit déjeuner complet chaque matin pour avoir de l'énergie !

5 Quand j'ai beaucoup de devoirs ou quand je révise pour un examen, je fais des pauses toutes les 30 minutes.

b.  25 **Écoute les conseils d'un spécialiste et vérifie tes réponses.**

Bon ou pas bon pour notre cerveau ?
Les réponses d'un spécialiste aux questions des adolescents.

Pour développer ton attention et ta concentration, fais attention à ton mode de vie !

Parlons de notre bien-être

VOCABULAIRE

1 Les cinq sens. **Relie chaque mot au sens correspondant.**

la bouche | caresser | écouter | entendre | la langue | le nez | l'œil

le goût | le toucher | l'ouïe | la vue | l'odorat

l'oreille | un parfum | la peau | regarder | sentir | voir

COMMUNICATION

2 Demander et dire comment on se sent. **Complète les expressions avec les mots suivants. Puis coche la case qui convient.**

déprimé(e) | forme | humeur | le moral | mieux | plaisir | stresse

	😀	😞
a Je vais	✓	☐
b Ça me	☐	☐
c Ça me remonte	☐	☐
d Je me sens en pleine	☐	☐
e Ça me met de mauvaise	☐	☐
f Je suis	☐	☐
g Ça me fait	☐	☐

ÉCOUTER

3 (26) a **Écoute et associe.**

1 est en pleine forme.

2 se sent déprimé(e).

3 va se promener en forêt quand il/elle se sent mal.

4 préfère faire une activité physique quand il/elle se sent mal.

Gabriel   Zoé

b **Réécoute et coche les bonnes réponses.**

Zoé propose à Gabriel…

1 ☐ de courir.
2 ☐ d'écouter les animaux.
3 ☐ d'écouter le bruit de l'eau.
4 ☐ d'écouter le vent.
5 ☐ de faire de l'escalade.
6 ☐ de faire de la gymnastique.
7 ☐ de regarder les nuages.
8 ☐ de respirer.
9 ☐ de se reposer.

LEÇON 2

Parlons de nos problèmes et trouvons des solutions

Les verbes prépositionnels

1 Entoure la bonne réponse.

a

Pour l'interro d'anglais, n'oublie pas à / de réviser aussi les verbes !

b

Alors, vous vous êtes réconciliés ? Tu as réussi à / de lui parler ?

c

Je n'arrive pas à / de faire ce problème de maths !

d

Alors, qu'est-ce que tu as décidé à / de faire ?

e

Pourquoi tu m'empêches à / de sortir avec mes copains ?

f

Pourquoi tu ne demandes pas à ta mère à / de t'accompagner ?

2 Associe pour faire des phrases et complète avec *à*, *de* ou *d'*.

a Ce n'est pas drôle ! Arrête	1 ...... arriver à l'heure !
b J'ai trois interros cette semaine et je commence	2 ...... en parler avec eux !
c On a rendez-vous à 14 heures : essaie	3 ...... te moquer !
d Tes parents le savent ? Moi, je te conseille	4 ...... le chercher, s'il te plaît ?
e C'est l'heure de dîner. Dépêchez-vous	5 ...... finir vos devoirs !
f Je ne trouve pas mon agenda. Tu m'aides	6 ...... stresser !

Demander et donner un conseil / Rassurer

3 **Complète les phrases avec les mots et expressions proposés.**

arrête | fais attention | je te conseille d' | pensez | tu me conseilles | Et si vous | tu ne devrais pas | vous devriez

a Moi, ... en parler à ta mère !

b .... demander conseil à un adulte.

c .... leur téléphoniez ?

d .... aux conseils que tu lui donnes !

e Mais .... de te disputer avec Marie ! C'est ton amie, non ?

f Qu'est-ce que .... de faire ?

g .... te moquer !

h .... à vous excuser !

4 **Reconstitue les mots suivants et complète les expressions pour rassurer.**

SIFA | VRAGE | PEQUANI | RANMOL | QUÉTIZIEN

a Pas de _ _ _ _ _ _ _ _ !

b C'est _ _ _ _ _ _ _ !

c Ne t'en _ _ _ _ pas !

d Ne vous _ _ _ _ _ _ _ _ _ _ pas !

e Ce n'est pas _ _ _ _ _ _ !

PHONÉTIQUE La disparition du *ne* de la négation

5 **Langage familier ou standard ? Lis les phrases et coche la case correspondante.**

	Langage familier	Langage standard
a Pourquoi tu ne fais pas tes devoirs maintenant ?	☐	☐
b Tu devrais pas parler comme ça à ta mère !	☐	☐
c Mais ce n'est pas grave ! Ne t'inquiète pas !	☐	☐
d Je te conseille de ne pas arriver en retard !	☐	☐
e Passe pas tout ton temps sur la tablette !	☐	☐
f T'en fais pas ! On essaie de pas rentrer trop tard !	☐	☐

LEÇON 3

Parlons de nos expériences les plus fortes

Le superlatif

1 **Complète les phrases avec un superlatif et les indications données.**

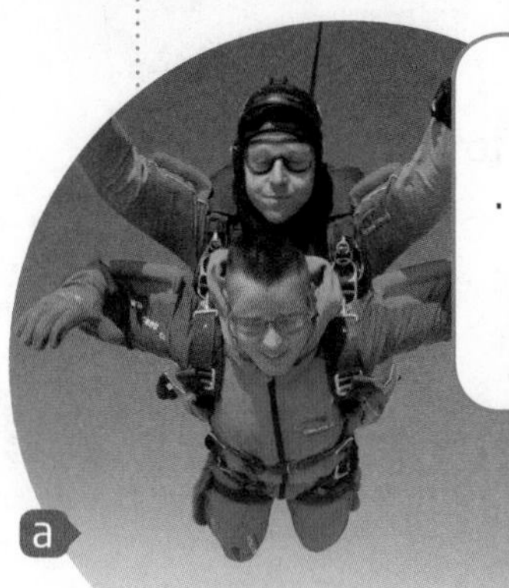

L'activité sportive .... que j'ai pratiquée, c'est le saut en parachute. (+ extrême)

C'est lui qui joue .... dans le film ! (– bien)

Faire une promenade en forêt, c'est l'activité qui m'apporte .... (+ bien-être)

Ça, c'est le conseil .... que tu m'as donné... (– intelligent)

Vie de collégien, c'est le site qui propos .... (+ témoignages d'ados)

2 **Transforme les phrases comme dans l'exemple. Attention à la place du superlatif !**

▸ C'est une belle surprise ! > C'est la plus belle surprise qu'on m'a faite !

a C'est une expérience incroyable ! > C'est .... de ma vie !

b C'est un mauvais souvenir de vacances ! > C'est .... que j'ai !

c C'est une histoire bizarre ! > C'est .... que j'ai entendue !

d C'est une grande déception ! > C'est .... de ma vie !

e C'est un bon roman ! > C'est .... que j'ai lu !

Les pronoms démonstratifs

3 **Associe les questions du forum aux réponses des internautes. Puis complète les réponses avec des pronoms démonstratifs (*celui*, *celle*, *ceux* ou *celles*).**

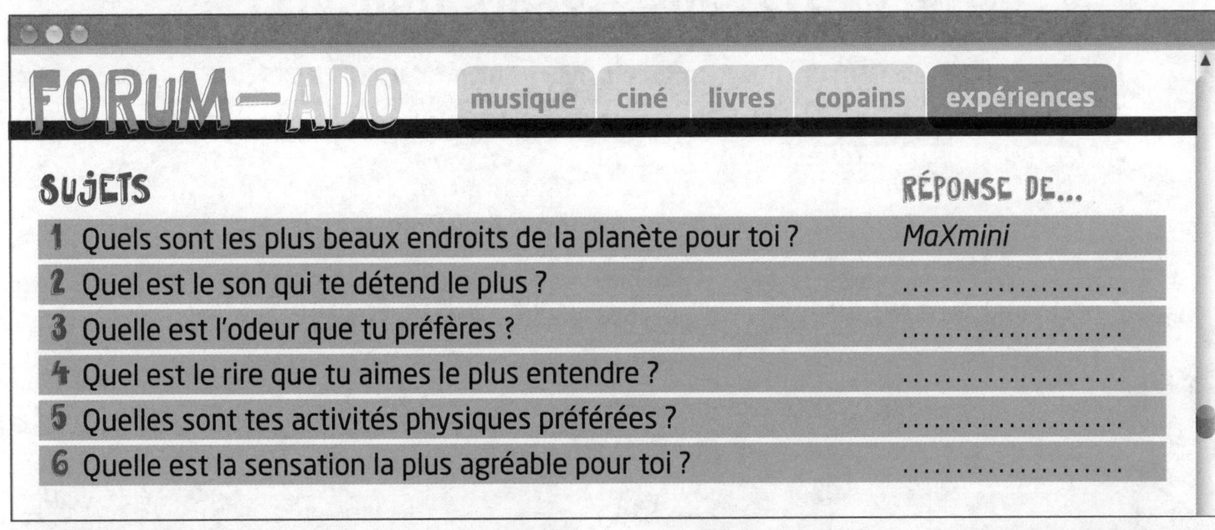

FORUM-ADO

musique | ciné | livres | copains | expériences

SUJETS	RÉPONSE DE...
1 Quels sont les plus beaux endroits de la planète pour toi ?	*MaXmini*
2 Quel est le son qui te détend le plus ?	....
3 Quelle est l'odeur que tu préfères ?	....
4 Quel est le rire que tu aimes le plus entendre ?	....
5 Quelles sont tes activités physiques préférées ?	....
6 Quelle est la sensation la plus agréable pour toi ?	....

Bouba	lu 13 fois
Pour moi, c'est .... du pain chaud : hummm !	

MaXmini	lu 5 fois
Ce sont .... où on voit seulement la nature.	

Lalou	lu 5 fois
Pour moi, c'est .... de ce bébé sur YouTube.	

Luciole	lu 14 fois
Ce sont .... qui me donnent de l'énergie !	

Ben	lu 6 fois
C'est .... que je ressens quand je marche sur la neige fraîche.	

Titi	lu 8 fois
Moi, c'est .... de la pluie sur les fenêtres.	

4 **Complète avec un pronom démonstratif et *-ci*, *-là*, *de / d'*, *qui* ou *que / qu'*.**

- Je n'aime pas les activités stressantes ; je préfère celles qui me détendent.

a Notre fou rire d'aujourd'hui a duré encore plus longtemps que .... la semaine dernière !

b Les sports que tu aimes, ce sont toujours .... sont les plus dangereux !

c À ton avis, quel est le meilleur témoignage de ce magazine : .... ou .... ?

d La blague la plus drôle ? C'est .... Alice a racontée l'autre jour !

e Pour moi, les situations les moins agréables, ce sont .... me stressent !

CULTURES

a **Fais le quiz. Puis regarde les réponses et compte tes points.**

Que sais-tu du système scolaire français ? Quiz

1 En France, l'école est obligatoire jusqu'à : ☐ 16 ans / ☐ 17 ans / ☐ 18 ans.
2 En France, les notes sont en général sur : ☐ 15 points / ☐ 20 points / ☐ 100 points.
3 Les collégiens français n'ont pas cours :
☐ le lundi après-midi / ☐ le mercredi après-midi / ☐ le vendredi après-midi.
4 En classe de 6e (première année du collège), les élèves ont en général :
☐ 9 ans / ☐ 11 ans / ☐ 13 ans.
5 En classe de 3e (dernière année du collège), les élèves passent un diplôme qui s'appelle :
☐ le brevet des collèges / ☐ le baccalauréat / ☐ le certificat scolaire.
6 Les classes du lycée s'appellent la seconde, la première et :
☐ la zéro / ☐ la finale / ☐ la terminale.

...... / 6 points

Réponses : **1.** 16 ans ; **2.** 20 points ; **3.** le mercredi après-midi ; **4.** 11 ans ; **5.** le brevet des collèges ; **6.** la terminale.

b **Relis le quiz et les réponses. Complète le nom des classes, puis entoure en rouge les classes du collège et en bleu les classes du lycée.**

.... – cinquième – quatrième – .... – seconde – première – ....

ÉDUCATION PHYSIQUE ET SPORTIVE

Lis l'article et réponds.

La gymnastique, c'est pour TOUTES les parties du corps !

Tu passes beaucoup de temps devant les écrans : ordinateur, tablette, téléphone, etc. ? Voici quelques exercices de GYMNASTIQUE DES YEUX pour éviter les problèmes oculaires !

1. Regarde en haut, puis en bas, à droite, puis à gauche.
2. Dessine avec tes yeux un très grand cercle autour de toi ; dans un sens, puis dans l'autre.
3. Ferme les yeux très fort, puis ouvre-les très grand et regarde un objet situé loin de toi. Recommence cet exercice plusieurs fois.
4. Fais des diagonales avec tes yeux : regarde en haut à droite, puis en bas à gauche ; ensuite regarde en haut à gauche, puis en bas à droite.

a. À qui s'adresse l'article ? ....

b. À ton avis, qu'est-ce qu'un problème « oculaire » ? ....

c. Associe les exercices aux dessins.

a Exercice n° ....
b Exercice n° ....
c Exercice n° ....
d Exercice n° ....

Autoévaluation

Parler de son bien-être

1 ... /4

Complète les expressions pour dire ou demander comment on se sent.

a Salut, Clara ! Qu'est-ce qu'il y a ? Ça ne .... pas ?

b Coucou, Paul ! Mais qu'est-ce qui t'................. ?

c Je suis en pleine .... !

d Aujourd'hui, je me .... déprimée !

e Le yoga, ça me .... du bien !

f Bof ! Je n'ai pas le .... !

g Écouter ma chanson préférée, ça me met de bonne .... !

h Moi, manger quelque chose de sucré, ça me .... le moral !

... /5

Écoute et associe chaque phrase à une photo. Puis écris sous chaque photo le sens correspondant (le goût, l'odorat…).

a Phrase ......
Sens : ....

b Phrase ......
Sens : ....

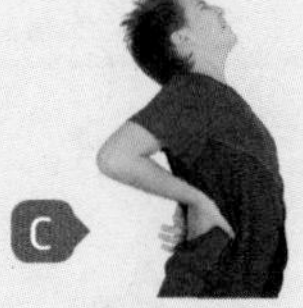

c Phrase ......
Sens : ....

d Phrase ......
Sens : ....

e Phrase ......
Sens : ....

Parler de ses problèmes et trouver des solutions

... /4

Lis le courrier des lecteurs. Complète les expressions pour donner un conseil et rassurer.

Courrier des lecteurs

J'ai de gros problèmes de peau et ça me stresse beaucoup !
Tanguy, 13 ans

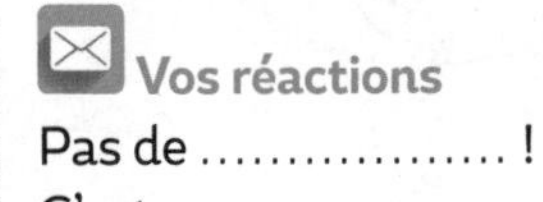

Vos réactions
Pas de .... !
C'est ....
à notre âge ! Et si tu .... conseil à un spécialiste ?
Jules, 14 ans

Mes parents ne me laissent pas écouter de la musique avec un casque parce qu'ils disent que c'est dangereux pour les oreilles.
Julie, 13 ans

Vos réactions Tes parents ont raison : tu ne .... pas écouter trop souvent de la musique avec un casque. Mais .... tu ne parles pas avec eux pour leur expliquer que tu ne vas pas la mettre trop fort ? Sarah, 14 ans

Depuis un mois, je ne comprends rien en maths et j'ai eu deux notes vraiment mauvaises ! Mes copains, eux, ont de bonnes notes.
Que faire ? Léo, 14 ans

Vos réactions Ne t'en .... pas, si c'est seulement depuis un mois, ce n'est pas .... Mais tu ....dire à tes parents que tu as besoin de cours particuliers, non ? Clara, 14 ans

4 ... /3

Coche la ou les bonnes options.

a Je peux ☐ *t'aider* / ☐ *essayer* à faire tes devoirs, si tu veux !

b J'ai ☐ *oublié* / ☐ *décidé* d'écouter ton conseil.

c Elle est très stressée et elle ☐ *n'arrive* / ☐ *ne réussit* pas à se détendre !

d J'ai un problème : je n' ☐ *arrive* / ☐ *arrête* pas de dormir !

e Mes parents ☐ *m'empêchent* / ☐ *me demandent* de regarder ce genre de films.

f ☐ *J'ai commencé* / ☐ *Je me suis dépêché* à faire ce que tu m'as demandé !

Parler de ses expériences les plus fortes

5 ... /4

Complète les phrases avec les mots proposés.

celle de | celles que | celui qui | ceux que | la plus | le moins | le plus | le plus de

a J'aime tous les sports, mais le rafting, c'est .... me donne .... sensations fortes.

b J'ai souvent des discussions avec mes parents, mais .... l'autre jour a été .... stressante.

c Je te donne ces jeux vidéo. Ce sont .... j'aime .... : je n'y joue jamais !

d J'adore les séries mais .... je regarde .... souvent, ce sont les séries américaines.

Vérifie tes résultats p. 79. ... /20

APPRENDRE À APPRENDRE

(28) **Écoute ces informations sur les effets de l'activité physique sur le cerveau. Puis complète le schéma avec les mots suivants.**

mémoire | bien-être | concentration | stress | activité physique | respiration | apprentissage

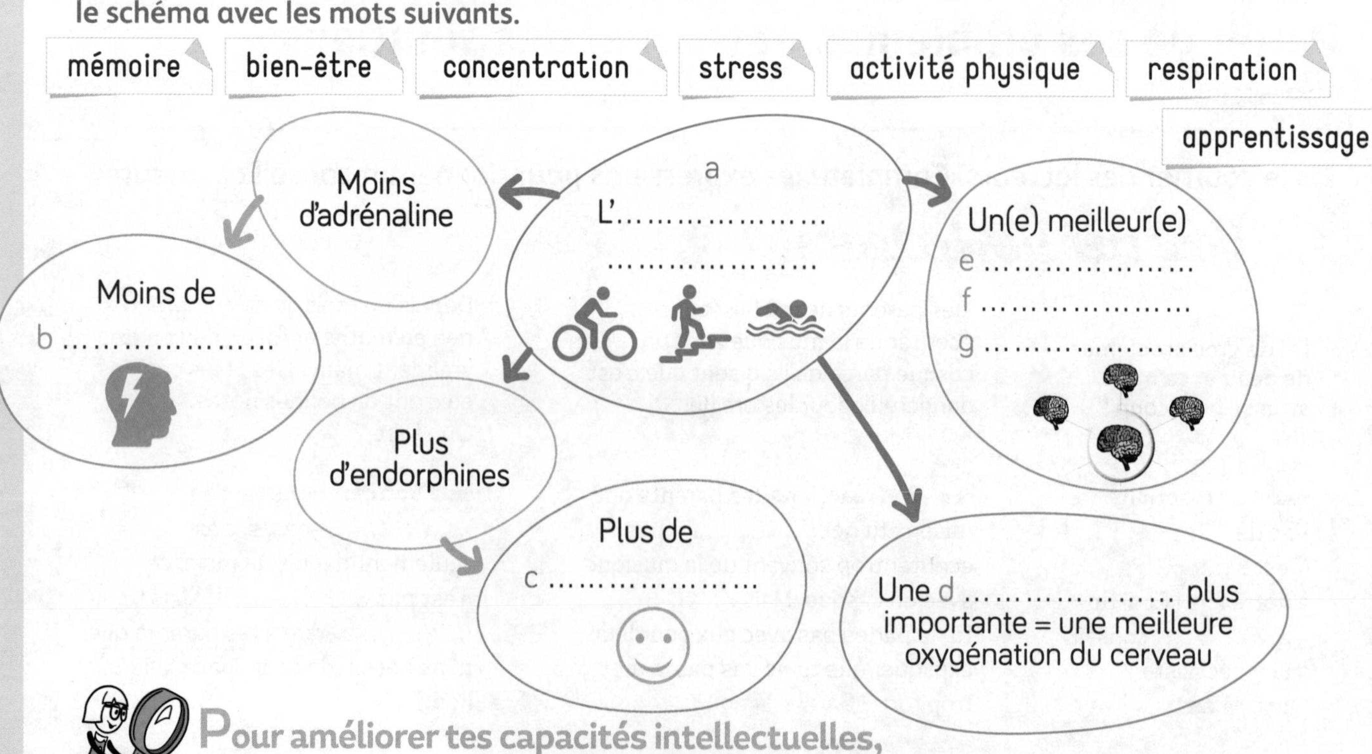

Pour améliorer tes capacités intellectuelles, pratique une activité physique régulière !

Parlons des bons et des mauvais comportements

VOCABULAIRE

1 Les incivilités, les espaces publics et la citoyenneté. **Lis les définitions et complète la grille. Puis retrouve le mot mystère avec les lettres des cases bleues.**

Horizontalement :

1 Rentrer dans quelqu'un.
2 Attitude qui peut être bonne ou mauvaise.
3 Acte d'être méchant.
4 Contraire d'« égalité ».
5 Faire un graffiti.

Verticalement :

6 Contraire de « propre ».
7 Possibilité d'agir comme on veut.
8 Contraire d'« injustice ».

> Mot mystère : _ _ S _ _ _ _

COMMUNICATION & ÉCOUTER

2 (29) Exprimer son mécontentement. **Écoute et associe chaque message à une incivilité (étiquettes a à d). Puis trouve la suite de chaque message (bulles 1 à 4).**

a les déchets par terre
b le matériel abîmé
c les crottes de chien
d le bruit

1 Je ne supporte pas les gens qui ne respectent pas les lieux publics !

2 Les propriétaires d'animaux exagèrent ! Ils doivent ramasser !

3 J'hallucine : il y a des poubelles partout mais les gens ne les utilisent pas !

4 Ceux qui ne font pas attention à leurs voisins abusent ! Vraiment !

	Incivilité	Suite du message
Message de Mathieu	......	Bulle n° ......
Message de Lucie	......	Bulle n° ......
Message de Martin	......	Bulle n° ......
Message de Cécile	......	Bulle n° ......

PHONÉTIQUE L'élision en français familier

3 (30) **Écoute et coche, comme dans l'exemple.**

▸ Ça ne te dérange pas, toi, les tags sur les murs ?

	Ex.	a	b	c	d	e
Prononciation familière						
Prononciation standard	✓					

LEÇON 2

Parlons des règles à respecter

Exprimer l'interdiction, l'autorisation, l'obligation

1 Décode ces interdictions puis transforme-les en autorisations.

▸ N'ouvre pas cette porte : EC N'STE APS ATOURSÉI !

> N'ouvre pas cette porte : ce n'est pas autorisé !

→ Ouvre cette porte, c'est autorisé !

a Tu ne EPXU pas courir ici, C'TES ERINTDIT !

> ....

→ ....

b On A N' PSA AL ISSPERNMIO d'utiliser les portables.

> ....

→ ....

c Tu SA N' APS EL TODIR de sortir !

> ....

→ ....

d LI N'TSE PSA EPRMSI de prendre des photos.

> ....

→ ....

2 Lis l'affiche et complète les reformulations avec les mots proposés.

obligatoire – interdit – défense – obligés – faut – permis

1 Il est .... de bousculer.
2 Il .... respecter le conducteur.
3 C'est .... de rester assis pendant le trajet.
4 .... d'écrire sur les sièges.
5 On est .... de laisser les lieux propres.
6 Il n'est pas .... de parler fort.

Les adverbes de manière en *-ment*

3 **Transforme les phrases comme dans l'exemple.**

▸ Nous agissons de manière respectueuse. > Nous agissons respectueusement.

a Vous pouvez parler de manière libre.

....

b Les élèves ont applaudi de manière joyeuse la nouvelle déléguée.

....

c Je finis de faire la vaisselle de manière rapide et après on y va !

....

d Ils se comportent toujours de manière correcte.

....

e Chez moi, tout le monde participe aux tâches ménagères de manière régulière.

....

4 **Retrouve les adverbes correspondant aux adjectifs suivants. Puis place-les dans les bulles.**

différent | gentil | vrai | poli | constant

a Vous ne pouvez pas écouter la leçon si vous parlez .... !

b On s'habille et on pense ...., mais on se respecte !

c Papa ! Du pain !
Tu dois demander .... et dire « s'il te plaît ».

d Tu as nettoyé toute la maison ? C'est .... sympa !

e Tu me parles ...., O.K. ?

Les tâches ménagères

5 31 **Écoute. Quelles tâches ménagères ont-ils faites ou vont-ils faire ? Complète.**

a Il a passé ....

b Ils vont .... la table.

c Elle va .... son pantalon.

d Elle doit .... sa chambre.

e Elle va .... son pull.

f Il doit .... son ....

LEÇON 3

Exprimons notre engagement

Les pronoms possessifs

1 (32) **Écoute les slogans. Transforme-les avec un pronom possessif, comme dans l'exemple.**

L'incivilité, c'est pas seulement celle des autres, notre incivilité aussi est grave !

> L'incivilité, c'est pas seulement celle des autres, la nôtre aussi est grave !

a LA FRATERNITÉ, C'EST TA RESPONSABILITÉ, PAS SEULEMENT .... !

b Nous défendons nos idées, mais nous écoutons aussi .... !

c NOUS SOMMES JEUNES, L'AVENIR, C'EST .... !

d Tu n'acceptes pas la violence des autres ? Alors contrôle d'abord .... !

e Le respect, c'est notre problème à tous : c'est ...., c'est ...., c'est .... !

2 **Complète avec un pronom possessif.**

a Tout le monde a donné son avis. Julie est la seule personne qui n'a pas donné .... !

b On a un nouveau délégué de classe. Et vous ? Vous avez élu .... ?

c Le projet des autres élèves est vraiment sympa. Mais on va trouver de meilleures idées que .... !

d J'ai reçu de super commentaires sur mon blog. Et toi, tu en as eu sur .... ?

e Il y a des adultes qui critiquent le comportement des ados, mais .... n'est pas toujours parfait !

f Maintenant, c'est à toi de ranger tes affaires. Moi, j'ai rangé .... ce matin !

Les verbes *dire, lire* et *écrire*

3 **Conjugue les verbes entre parenthèses au présent.**

a Thomas .... (lire) son programme devant toute la classe.
b Vous ne .... (dire) jamais d'insultes et c'est très bien !
c Nous .... (écrire) des idées pour notre projet d'affiche.
d Vous .... (lire) bien les recommandations, d'accord ?
e Qu'est-ce qu'elles .... (écrire) ?
f Ces deux garçons ne .... (dire) jamais bonjour ! Ce n'est pas poli !
g Tu .... (dire) que personne ne te respecte au collège. C'est vrai ?

4 **Complète les bulles avec les verbes suivants conjugués à la forme correcte.**

écrire | élire | lire | s'inscrire (x 2) | interdire | dire

a Nous .... les nouveaux délégués chaque année au mois d'octobre.

b Qu'est-ce que tu .... ? Je ne comprends pas, il y a trop de bruit !

c Il .... son nom en gros sur la liste.

d Je .... pour participer au projet « Plus de respect au collège ». Tu .... avec moi ?

e Dans mon collège, on .... le règlement et ensuite on doit l'accepter et le signer.

f Vous .... aux élèves de manger en classe ?

Les élections / Le manque de respect

5 **Lis les actions suivantes et classe-les dans le tableau.**

a Alice n'a jamais frappé personne.
b Marion et Léonore ont insulté un autre élève.
c Léo s'est bagarré pendant la récréation.
d Yamina est déléguée, elle s'engage à écouter les idées de chacun.
e Thibault a jeté le sac de Léa par terre avec violence.

Respect	Manque de respect
....	....

CULTURES

Il y a quelques années, la RATP* a lancé « Mon cher voisin de transport », une campagne contre les incivilités dans les transports en commun parisiens. Les voyageurs pouvaient raconter leurs mauvaises expériences dans le métro et le bus sur un site Internet.

* Régie Autonome des Transports Parisiens

Lis les témoignages laissés sur le site « Mon cher voisin de transport ». Quel témoignage parle d'une personne qui…

a écoute fort de la musique ? ....

b salit les sièges ? ....

c ne respecte pas les personnes âgées ? ....

d ne laisse pas sortir les autres voyageurs ? ....

1 Mon cher voisin de transport,
tu es jeune et en pleine forme, tu as de la chance ! Et si tu laissais ta place à cette vieille dame ?
Ne pas laisser ta place, c'est pas très poli !
Anna, (BUS) 53

2 Ma chère voisine de transport,
tes nouvelles baskets sont super !
Mais tu exagères : ne les mets pas sur le siège, laisse-les par terre !
Djo, (M) 10

3 Mon cher voisin de transport,
tu veux monter ?
O.K., mais sans bousculer ! Sinon, attends le prochain métro, ou demain, pars un peu plus tôt !
Lili, (M) 13

4 Ma chère voisine de transport,
c'est très sympa de partager avec nous tes découvertes musicales ! Mais as-tu pensé qu'on n'avait peut-être pas tous les mêmes goûts que toi ?
Mart', (BUS) 12

Littérature

33 Observe et lis ces affiches de la RATP pour sa nouvelle application. Quels contes de Charles Perrault y sont représentés ? Associe aux titres ci-dessous puis écoute pour vérifier.

Le Petit Poucet | *Cendrillon*

1 Conte : ....

2 Conte : ....

Autoévaluation

Parler des bons et des mauvais comportements

1 ... /5

Écoute et associe chaque dessin à un commentaire.

a 

Commentaire n° ……

b 

Commentaire n° ……

c 

Commentaire n° ……

d 

Commentaire n° ……

e 

Commentaire n° ……

Parler des règles à respecter

2 ... /5

Reconstitue les mots entre parenthèses, puis utilise-les pour reformuler les phrases.

a Chez moi, on doit débarrasser la table après le repas. (OÉBLISG)

> Chez moi, on ……………………………………………………………………

b Chez moi, il n'est pas permis d'utiliser Internet après 21 heures. (IRTDINET)

> Chez moi, ……………………………………………………………………

c On peut porter les vêtements qu'on veut au collège. (DTOIR)

> ……………………………………………………………………

d Je peux me coucher tard le samedi soir. (PMIESSIORN)

> ……………………………………………………………………

e Je ne dois pas utiliser mon portable jusqu'à vendredi, mes parents ne veulent pas ! (DÉENTNEFD)

> Mes parents me ……………………………………………………………………

3 ... /4

Écoute et transforme avec un adverbe en *-ment*, comme dans l'exemple.

▸ Il faut partager avec les autres et avoir un comportement généreux.

> *Il faut partager avec les autres et se comporter généreusement.*

a Il est interdit de se parler …………………………… .

b On est obligés de s'habiller …………………………… pour aller au collège.

c Tu dois te comporter …………………………… avec les autres.

d Tout le monde doit participer …………………………… aux tâches ménagères.

Exprimer son engagement

4 ... /3

Complète avec un pronom possessif.

a Marie et moi, nous avons collé notre affiche. Et vous, vous avez collé .... ?

b Cet engagement n'est pas mon engagement, c'est celui de nous tous : c'est ....

c Leïla et Jules ont fait un super travail, je n'ai jamais vu de projet comme ....

d Moi, j'ai donné mon avis sur le problème, mais toi, Julia, tu n'as pas donné .... !

e Albane a des copines qui sont parfois méchantes avec elle ; moi, je n'ai pas de problème avec ....

f On leur a déjà dit toutes nos idées ! Mais eux, ils ne nous ont jamais présenté ....

5 ... /3

Complète les situations avec les mots suivants.

voter | présente son programme | s'engage à | déléguée de classe | ont élu | lutte pour

a Noémie représente tous les élèves de sa classe. Elle est ....

b Max explique ses idées aux autres élèves pour l'élection des délégués.
Il ....

c Lola dit qu'elle organisera des actions pour la citoyenneté au collège et, c'est sûr, elle le fera !
Elle .... ça.

d Joachim fait des actions pour défendre le respect. Il .... le respect.

e Aujourd'hui, chaque classe va choisir son délégué : tous les élèves vont ....

f Idris a gagné les élections : ses camarades l'.................................. .

Vérifie tes résultats p. 79. ... /20

APPRENDRE À APPRENDRE

Lis les définitions du mot « coopération » données par des ados. Trouve les deux intrus.

a Quand je réussis, je me sens plus fort que les autres.

b Nous sommes solidaires : ma réussite augmente les chances de réussite des autres.

c Chaque membre du groupe doit faire une part égale du travail.

d Quand nous travaillons ensemble, nous échangeons nos idées et nous discutons.

e Chaque membre du groupe est responsable d'une partie du travail à faire.

f Si l'un de nous a des difficultés, nous l'aidons !

g Je n'ai pas besoin de faire ma part du travail si les autres la font mieux que moi !

Les deux intrus : ....

Pour enrichir ton apprentissage, apprends à coopérer !

Ateliers d'écriture

ÉTAPE 1

Un inventaire

**Tu veux créer une affiche qui parle de toi, pour ta chambre.
Écris l'inventaire des choses que tu aimes ou pas, qui sont importantes pour toi... Illustre ton affiche.**

Avant d'écrire...

L'**inventaire** est un genre littéraire qu'on découvre pour la première fois dans les écrits de la japonaise Sei Shônagon, en l'an 1000.

Inspire-toi de cet extrait pour ton inventaire :

Choses qui font battre le cœur
Des moineaux qui nourrissent leurs petits.*
Se coucher seule dans une chambre délicieusement parfumée.
Choses que l'on ne peut comparer
La nuit et le jour
La pluie qui tombe et le soleil qui brille
* petits oiseaux

Extraits de : Sei Shônagon, *Notes de chevet*, traduit du japonais par André Beaujard, Gallimard, « Connaissance de l'Orient », 1966.

Choses que j'adore (faire)
....
....
....
....

Choses qui ne me plaisent pas
....
....
....
....

Choses qui ....
....
....
....
....

Choses que ....
....
....
....
....

Pour écrire ton inventaire

Utilise au moins une fois chaque structure :

- **Mon cours de tennis** le mercredi. (groupe nominal)
- Les sorties **que** je fais avec mes amis. (pronom relatif COD)
- Les amis **qui** ne sont pas là quand j'ai besoin d'eux. (pronom relatif sujet)
- **Jouer** aux jeux vidéo avec Louis. (verbe à l'infinitif)

Un chapitre de tes mémoires

Nous sommes en 2070 et tu écris tes mémoires. Tu as retrouvé un objet que tu utilisais quand tu étais ado. Il avait beaucoup d'importance pour toi et il n'existe plus. Tu racontes.

Avant d'écrire...

Les **mémoires** sont des récits de vie qui racontent des souvenirs historiques ou personnels. Ils donnent aussi des indications sur une époque.

Toi aussi, pense à donner :

- une description détaillée de l'objet ;
- un souvenir personnel avec cet objet.

Pour écrire tes mémoires

Utilise au moins trois expressions pour situer dans le temps :

en 2009 | à l'époque | quand j'étais enfant | dans les années 2010

jusqu'à sa disparition | jusqu'en 2017 | il y a 30 ans | depuis 10 ans

Chapitre 2 : les années 2015-2020¶

Quand j'étais ado, un objet incroyable était au centre de nos vies ! C'était¶ ....

....

....

....

....

....

....

....

....

....

....

....

....

....

La fiche d'identité d'un pays

Invente un pays. Imagine son nom et complète sa fiche d'identité.

Avant d'écrire...

Beaucoup d'écrivains ont imaginé des lieux, pays ou mondes imaginaires. On les appelle des **utopies** quand ils décrivent un lieu de vie idéal, ou des **dystopies** dans le cas contraire.

Toi aussi, imagine un pays utopique ou un pays dystopique.

Pour décrire ton pays imaginaire

Utilise au moins une fois ces deux pronoms :

pronom relatif
C'est un pays **où** il y a des paysages variés.

pronom complément
Au nord, on **y** trouve de grandes forêts.

....

Situation géographique

....
....
....
....
....

Relief et paysages

....
....
....
....
....

Culture et traditions

....
....
....
....
....

Drapeau du / de
....

Carte du / de
....

Capitale : ....
Langues parlées :
....
....

Le début d'un roman

Utilise cet incipit pour écrire la première page d'un roman pour ado.

Avant d'écrire...

Un **incipit** est le début d'un roman. Ici, il s'agit de l'incipit de *Jacques le Fataliste*, de Denis Diderot (1796) ; il pose des questions sans donner de réponses pour créer un effet de suspense.
Le début d'un roman est très important car il donne envie de lire la suite. Souvent, il présente aussi le décor et les personnages.

Toi aussi, pense à :

- décrire où se passe l'action ;
- décrire les personnages ;
- garder l'effet de suspense !

Pour écrire ton début de roman

Utilise les temps du passé :

imparfait

Ils s'appelaient Lulu et Dina et ils venaient d'un pays du nord de l'Europe.

passé composé

Ils se sont rencontrés par hasard...

Comment s'étaient-ils rencontrés ? Par hasard*, comme tout le monde. Comment s'appelaient-ils ? D'où venaient-ils ?

....

....

....

....

....

....

....

....

....

....

....

....

....

....

....

....

....

....

* par accident

ÉTAPE 5

Une page de ton journal intime

Tu viens d'inventer une formule magique pour changer le monde. Dans ton journal intime, tu expliques quels changements tu espères produire dans le futur.

Avant d'écrire...

Un **journal intime** est un texte qu'on garde souvent secret et où on présente des événements personnels, des réflexions... On peut dater chaque passage.

Toi aussi, pense à :

- dater les paragraphes de ton journal intime ;
- décrire comment tu vois le monde nouveau.

Pour imaginer le futur

Utilise au moins une fois chaque structure :

Si ma formule fonctionne, la pollution disparaîtra.
+ présent + futur simple ou futur proche

Quand je prononcerai la formule, le monde se transformera.
+ futur simple

J'espère que ça va marcher !
+ futur proche ou futur simple

Mercredi

Aujourd'hui, c'est un grand jour !

Ma formule magique est prête !

Un commentaire sur un restaurant

Tu es allé(e) dans ce restaurant original avec ta famille. Tu écris un commentaire sur un site web pour raconter ton expérience.

Avant d'écrire...

Nous laissons beaucoup de **commentaires** sur Internet. Ils permettent de noter des services ou de donner un avis sur une expérience.

Toi aussi, pense à :

- donner des notes ;
- faire la description de ton expérience ;
- parler des différents aspects du restaurant (cuisine, service, lieu).

Pour donner ton avis sur un restaurant

Utilise au moins une fois chaque structure :

Ça avait l'air bon ! J'ai trouvé ça très original ! C'était amusant !

↑ adjectif

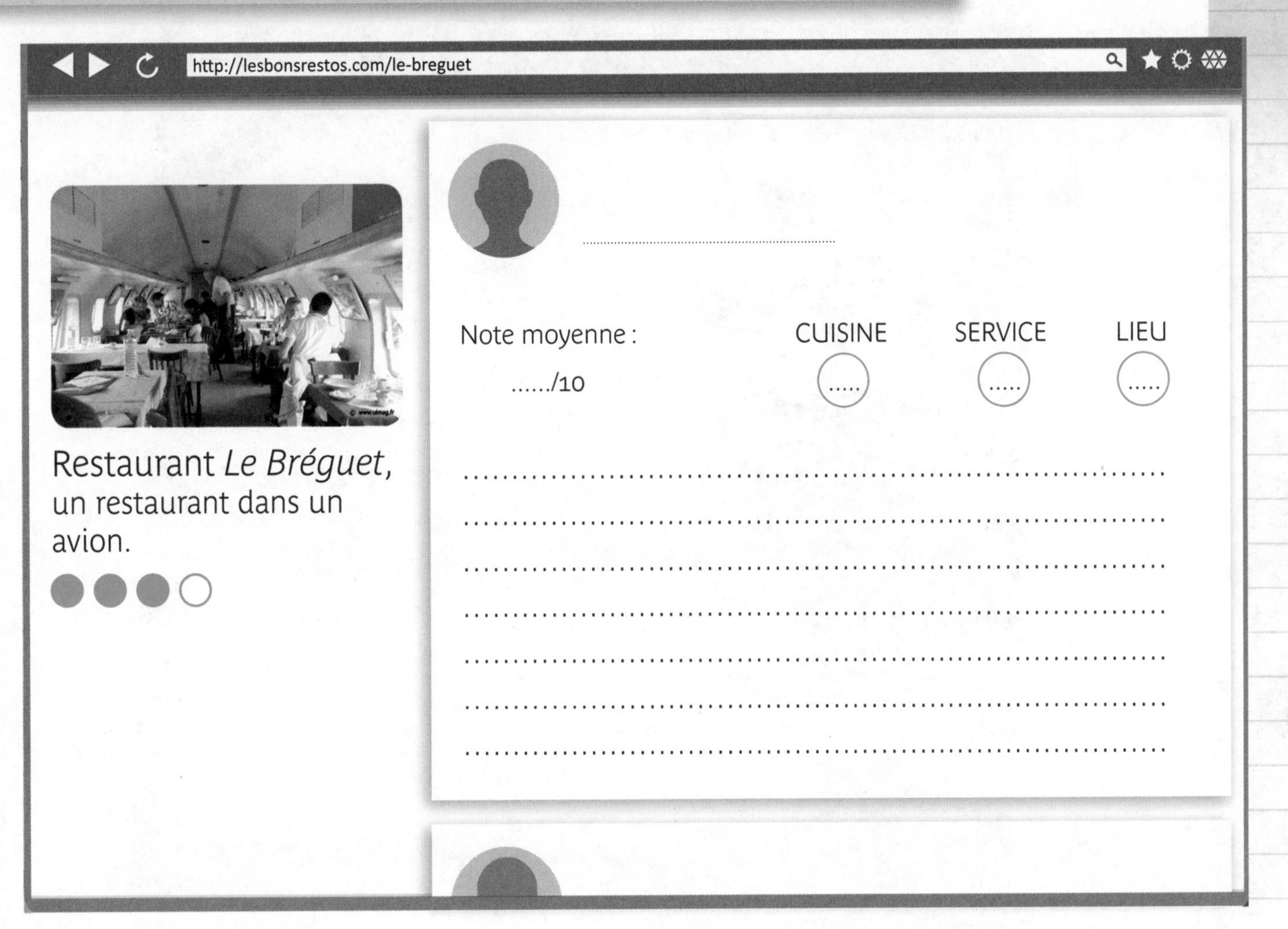

Une carte d'anniversaire

C'est l'anniversaire d'une personne que tu aimes beaucoup.
Tu lui écris une carte pleine de compliments.

Avant d'écrire...

Pour écrire une carte amicale, pense à utiliser ce plan :

- **Début de la carte** :
  - Formule pour saluer

    (Ma) chère + *prénom*, | (Mon) cher + *prénom*,
- **Corps de la carte** :
  - Formule pour souhaiter l'anniversaire / la fête, etc.
  - Compliments
- **Fin de la carte** :
  - Formule pour prendre congé

    Je t'embrasse | Bisous | Bises | À bientôt !
  - Signature

Pour faire des compliments

Utilise au moins deux superlatifs :

Tu es la personne la plus (+ adjectif) sympa que je connais !

C'est avec toi que je passe le plus (+ de/d' + nom) de moments chouettes !

Un acrostiche

**Choisis un lieu (réel ou inventé) et imagine ses règles de vie.
Invente un acrostiche à partir de son nom.**

Avant d'écrire...

Un **acrostiche** est un poème. La première lettre de chaque vers compose un mot ou une expression caché(e) en lien avec le poème.

Exemple :
C'est un lieu où tout le monde a le droit d'être heureux.
On doit apprendre à se respecter !
Les élèves sont tous égaux.
Les profs sont obligés d'être optimistes,
Et peuvent oublier parfois de donner des devoirs !
Groupons nos efforts pour mieux vivre ensemble !
Et faisons de ce lieu un lieu de respect !

Toi aussi, pense à :
- choisir le nom de ton lieu ;
- imaginer un vers avec chacune des lettres de ce lieu ;
- parler des personnes et des règles à respecter dans ce lieu.

Pour parler des règles de vie

Utilise au moins trois structures différentes :
On a le droit d'être heureux.
On est obligés d'être optimistes.
+ de + infinitif

infinitif
Il faut / On doit / On peut apprendre à se respecter.

Corrigés des autoévaluations

Étape 1

1 1 d – 2 a – 3 c – 4 b

2 a Non, je ne les invite pas. – b Oui, bien sûr, je peux t'aider ! / je t'aide ! – c Oui, je l'aime bien parce qu'il me fait rire ! – d Oui, je lui parle souvent de mes problèmes. – e O.K., on leur propose de venir.

3 Coucou, Je suis triste parce qu'il y a quelque chose qui a changé entre nous. Est-ce que j'ai dit ou fait quelque chose que tu n'as pas aimé ? Quelque chose qui t'a énervé ? Ou c'est parce que je gagne toujours au *laser game* ? Ou c'est à cause de mon pote Pablo que je vois souvent ? Je ne veux pas me disputer avec toi. Tu es mon meilleur ami et j'aime beaucoup discuter avec toi ! Tu sais qu'on peut parler de tout ensemble, alors appelle-moi ! Camille

4 a parce qu' – b donc – c c'est pour ça qu' – d à cause de

5 a ne sont jamais allées – b ont été – c n'a rien compris – d se sont rencontrés – e est sorti(e)s – f avez eu

Étape 2

1 a C'est en quelle matière ? / C'est en quoi ? – b C'est de quelle couleur ? – c Ça a quelle forme ? – d À quoi ça sert ? / Ça sert à quoi ? / Quelle est la fonction de cet objet ?

2 a Avant, on n'avait pas de calculatrice et on faisait des calculs très compliqués à la main. – b Je portais toujours un sac banane : ce n'était pas très joli, mais très pratique ! – c Nous écrivions beaucoup de lettres car les mails et les réseaux sociaux n'existaient pas encore ! – d Mes copines s'habillaient avec des vêtements de leur mère, mais moi, ma mère, elle ne voulait pas !

3 a 3 – b 1 – c 6 – d 4 – e 5 – f 2

4 a Dans ta bande de copains, personne n'avait d'ordinateur ? – b Ce vieux magnétoscope ne marche plus ? – c Tu n'as jamais envoyé de tweets avec Twitter ? – d Tu n'as rien oublié de ton enfance ?

5 a 1980 / plus de quarante ans – b trente ans – c environ quinze ans – d l'invention des *chats* / deux décennies – e deux ans

Étape 3

1 Salut, moi c'est Vahinerii. J'habite sur une île magnifique de l'hémisphère sud, dans un archipel situé dans l'océan Pacifique : Grande Terre, en Nouvelle-Calédonie. Une grande chaîne de montagnes divise l'île en deux. Toute ma famille vit sur la côte est, qui est tropicale. On adore aller à la plage : il y a du sable blanc avec des palmiers !

2 a 3 – b 1 – c 5 – d 2 – e 4

3 Salut Nora !
Et voilà ! Je suis arrivée à San Francisco, après 15 heures d'avion ! Jess, ma correspondante, et ses parents sont super sympas et leur maison est trop belle ! Elle se trouve près de la plage et, de la fenêtre de ma chambre, je vois l'océan : j'ai de la chance !
Demain, je commence mes cours. Au programme : anglais le matin et surf l'après-midi. Dans mon groupe, il y a des gens qui viennent de partout : du Brésil, du Japon, d'Espagne… Je me suis déjà fait une copine qui vient d'Allemagne, Tina, et il y a aussi un Français, Émile, qui vient de Lyon.
Je n'ai pas encore vu le Golden Gate, mais on y va tous ce week-end avec l'école.
Bon, j'y vais : on m'appelle ! À plus pour d'autres nouvelles !
Bisous,
Léonie

4 a patrimoine – b traditions – c spécialités – d traditionnel – e culture

5 a Tu viens à l'intérieur ? – b Viens voir dedans ! – c Les danseurs sont autour / à l'extérieur du cercle. – d On met ça au-dessous du lit. – e Retrouve-moi en haut de la tour !

Étape 4

1 a un film d'animation – b un tableau – c un spectacle de jonglage – d un roman fantastique – e une sculpture

2 a J'ai vu ce film il y a 10 jours. – b Je suis resté au festival pendant deux jours. – c J'ai écrit cette histoire il y a deux mois. – d Ils ont découvert cet auteur il y a un an. – e Oui, nous avons attendu pendant une heure.

3 Ce soir-là, quand Gabriel est rentré chez lui, il est monté dans sa chambre et là… Horreur ! Plus rien n'était à sa place. Tous les livres de sa bibliothèque se trouvaient par terre ! Ses livres adorés ! Et il y avait plusieurs pages

déchirées sur son lit. Il a lu les pages et a reconnu tout de suite / a tout de suite reconnu son roman préféré…
Bizarre… car ce roman racontait aussi l'histoire d'un livre déchiré...

4 a pas du tout passionnant – b trop ennuyeux – c top ; beaucoup aimé – d assez inquiétants ; plutôt étrange

5 a 2 et 6 – b 3 et 4 – c 1 et 5

Étape 5

1 Jocelyn M. : À vendre : vélo d'occasion en très bon état. 45 euros.
Clément T. : Cherche atelier de bricolage gratuit dans la région de Nantes, pour apprendre à réparer des objets cassés ou abîmés.
Lorie V. : Tu veux faire une bonne affaire ? Je vends 10 tee-shirts de marque, de très bonne qualité, taille M fille. 12 euros.

2 a gâchis/gaspillage – b joué ; Bravo/Félicitations/Génial/Super/C'est bien – c mince/je suis déçu(e) ; tant pis ; dommage/bête

3 a On vient de trier de vieux vêtements – b (Je) viens de vendre ma trottinette – c (Maman et moi,) nous venons/on vient de réparer la vieille table du jardin – d Elle vient de l'échanger

4 a Nous répondons par mail au garçon qui veut échanger son skate ? – b Dans cet atelier, nous apprenons à réparer de vieux objets. – c Vous avez froid ? Qu'est-ce que vous attendez pour fermer la fenêtre ? – d Pour économiser l'eau, elles prennent des douches et pas de bains.

5 a deviendra – b saurons – c utilisera – d disparaîtront – e auront

Étape 6

1 Thibault : c la soupe – Maud : b les crêpes – Valentin : a les saucisses – Lisa : d le fromage

2 a plus de choix – b aussi vite – c autant de lait – d meilleurs – e plus souvent – f moins de tables

3 a servons – b dort – c sert – d buvez – e sentent

4 a Ce food truck en sert. – b Le serveur en apporte. – c J'en voudrais un peu. – d Elle en prépare un.

5 Dialogue 1 : h, f, i, a, e – Dialogue 2 : j, b, g, d, c

Étape 7

1 a va – b arrive – c forme – d sens – e fait – f moral – g humeur – h remonte

2 a Phrase 3 ; Sens : l'odorat – b Phrase 5 ; Sens : le goût – c Phrase 1 ; Sens : le toucher – d Phrase 4 ; Sens : la vue – e Phrase 2 ; Sens : l'ouïe

3 Jules : Pas de panique ! C'est normal à notre âge ! Et si tu demandais conseil à un spécialiste ?
Sarah : Tes parents ont raison : tu ne devrais pas écouter trop souvent de la musique avec un casque.
Mais pourquoi tu ne parles pas avec eux pour leur expliquer que tu ne vas pas la mettre trop fort ?
Clara : Ne t'en fais pas, si c'est seulement depuis un mois, ce n'est pas grave. Mais tu pourrais/devrais dire à tes parents que tu as besoin de cours particuliers, non ?

4 a t'aider – b oublié / décidé – c n'arrive / ne réussit – d arrête – e m'empêchent / me demandent – f J'ai commencé

5 a J'aime tous les sports, mais le rafting, c'est celui qui me donne le plus de sensations fortes. – b J'ai souvent des discussions avec mes parents, mais celle de l'autre jour a été la plus stressante. – c Je te donne ces jeux vidéo. Ce sont ceux que j'aime le moins : je n'y joue jamais ! – d J'adore les séries mais celles que je regarde le plus souvent, ce sont les séries américaines.

Étape 8

1 a 3 – b 5 – c 1 – d 2 – e 4

2 a Chez moi, on est obligés de débarrasser la table après le repas. – b Chez moi, il est interdit d'utiliser Internet après 21 heures. – c On a le droit de porter les vêtements qu'on veut au collège. – d J'ai la permission de me coucher tard le samedi soir. – e Mes parents me défendent d'utiliser mon portable jusqu'à vendredi.

3 a méchamment – b correctement – c fraternellement – d activement

4 a la vôtre – b le nôtre – c le leur – d le tien – e les miennes – f les leurs

5 a déléguée de classe – b présente son programme – c s'engage à – d lutte pour – e voter – f ont élu

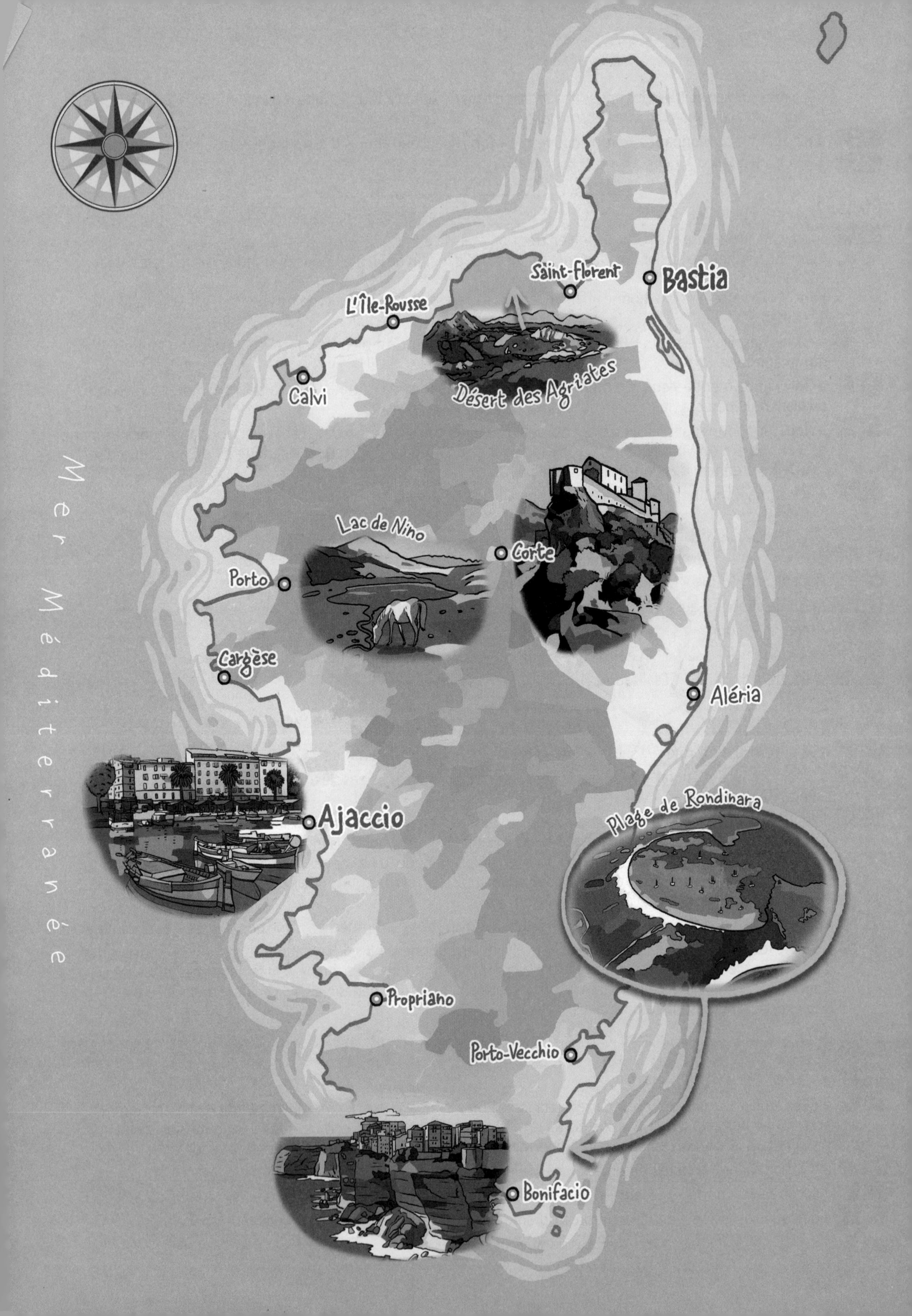

Mer Méditerranée
Saint-Florent
Bastia
L'Île-Rousse
Calvi
Désert des Agriates
Lac de Nino
Corte
Porto
Cargèse
Aléria
Ajaccio
Plage de Rondinara
Propriano
Porto-Vecchio
Bonifacio